沈黙の艦隊

THE SILENT SERVICE

かわぐちかいじ

CONTENTS

VOYAGE 34 運命の海――3
VOYAGE 35 天津の決断――21
VOYAGE 36 「シーバット」反撃――39
VOYAGE 37 母国のために――57
VOYAGE 38 もうひとつの日本――75
VOYAGE 39 自衛艦隊出動――95
VOYAGE 40 臨戦態勢――115
VOYAGE 41 自衛隊到着――137
VOYAGE 42 ピン・ポイント――157
VOYAGE 43 火ぶた――177
VOYAGE 44 もうひとつの「シーバット」――197

フローティング・アンテナ
切断!!
浮上———ッ!!

VOYAGE 34
運命の海

発令所
漏水止まりました
「レッド・スコーピオン」浮上します！本艦後方距離800！
よし　こちらも浮上をかけろ
バラストタンクブロー水を吐き出せ！
バラストタンクブローよし
浮けッ!!

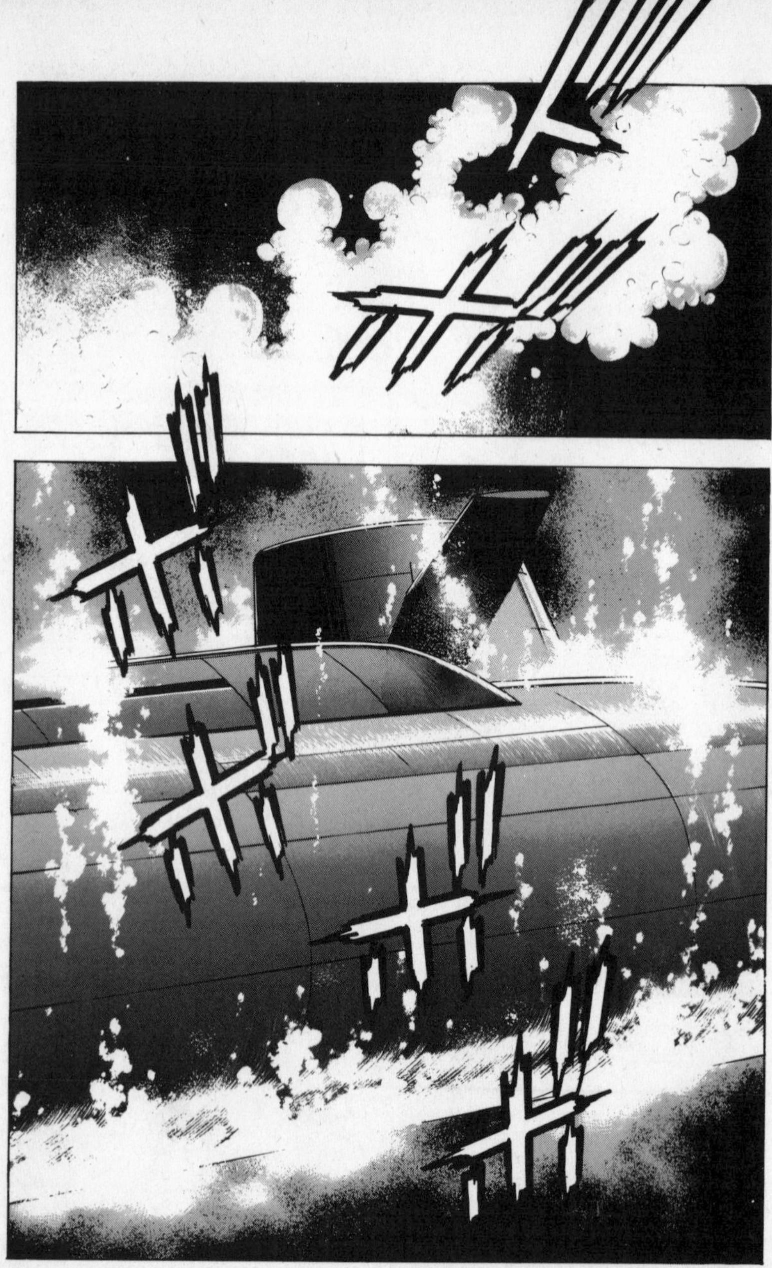

艦が浮力を得ます！
浮上します
スクリューに逆進をかけろワイヤーを外せ！
深度1010
90
1000
1000！
機関後進！
一杯！

外れた!!
よし
機関前進だ

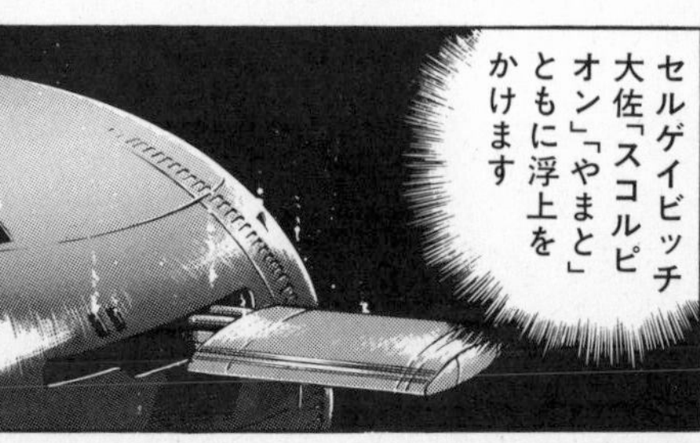
セルゲイビッチ
大佐「スコルピ
オン」「やまと」
ともに浮上を
かけます

ロブコフ大佐
浅海でのスピードを
競うつもりか!!

機関全速
針路0―0―0
深度300!

機関全速
針路1―8―0
深度300!!

ロブコフ艦長
「やまと」針路
1―8―0
艦長
逃げたの
では!?
いや
距離をとって
いるのだ
距離5000で
反転 魚雷戦に
くる!!
本艦と反対に
とり 深度500
遠ざかります!
1番2番注水
通常炸薬53―VA魚雷
音響誘導 深度300
距離2000以上に
セット!!
ガ
ガ
ガ
1番2番注水!
53―VA魚雷
音響誘導よし!!

同11月27日
18：20
沖縄沖

見えました
艦長!!
右舷30°
距離５０００
ドックが来ます！

フン
脅しが効いたと
見えて
「マイティ・
サーバント」を
奮発したな
米司令部め

自走ドック「マイティ・サーバント」
左舷20°「たつなみ」が近づきます距離5000

ドック収容用——意
発光信号を送れ!
取舵一杯!
セオドア・ルーズベルトは太平洋を「われわれの運命の海洋」と呼んだ
われわれはこの海から逃れることはできない

いよいよだ
深町くん
ソビエト海軍を巻き込んで
この太平洋で第2次大戦以来の日米関係に新たな決着をつける時が来たんだ!!

機関微速
面舵20°！

艦を回頭
180°!!
面舵一杯！
艦を回頭180°
面舵一杯
よし

艦を回頭180°!!
面舵一杯!
艦を回頭180°
面舵一杯
よし
よし

「やまと」
艦を回頭!!

向かって
きます
交響楽が!!

「やまと」
私は軍人になった
ことを 今ほど
感謝したことはない
これほどの敵を
自分の手で
葬れるのだ
カチ

1番2番
魚雷発射
用――意
1番2番
魚雷発射
用――意
よし

この深海に
永遠(とわ)に
眠れッ

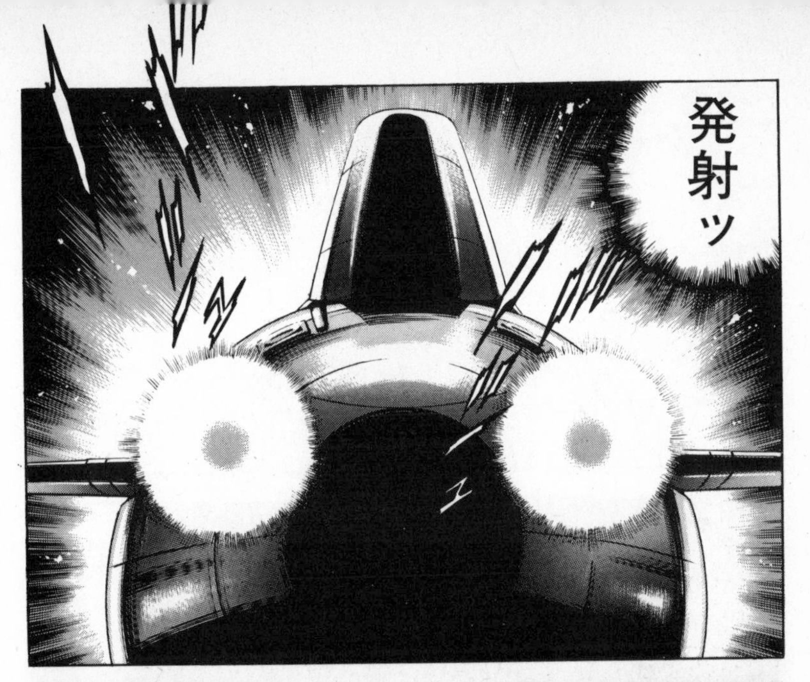
発射ッ

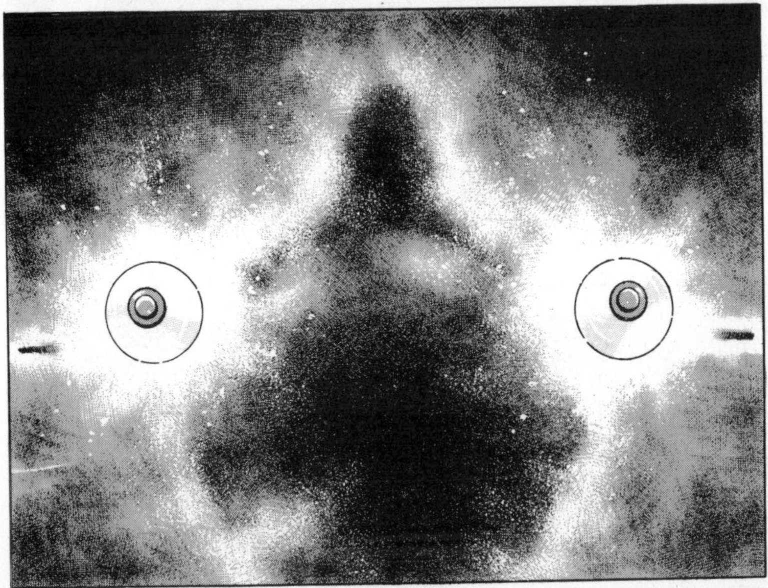

スクリュー音2つ
距離4500!!
45ノット!!
「スコーピオン」が
魚雷を射ちました
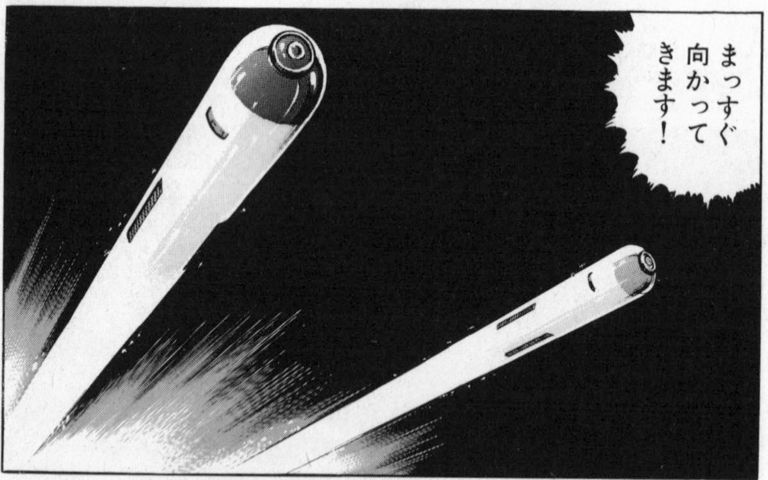
まっすぐ
向かって
きます！

艦長！
回頭です
「スコーピオン」に
真の戦闘を
見せてやる

VOYAGE34 運命の海／END

高速スクリュー音
魚雷2本!!
左舷10°
48ノットで
まっすぐ
こっちへ
来ます！
距離4000!!
自動追尾です
方位を修正
しました
速力最大！
速力最大
だって!?
そんなに早く
魚雷と
ドッキング
したいのか！
50ノットに
増速せよ！

VOYAGE 35

天津の決断

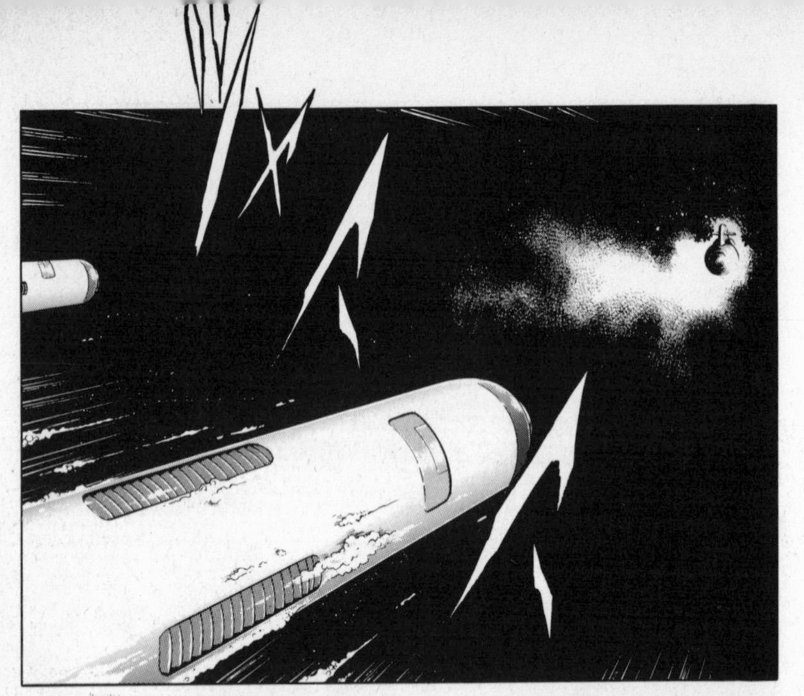
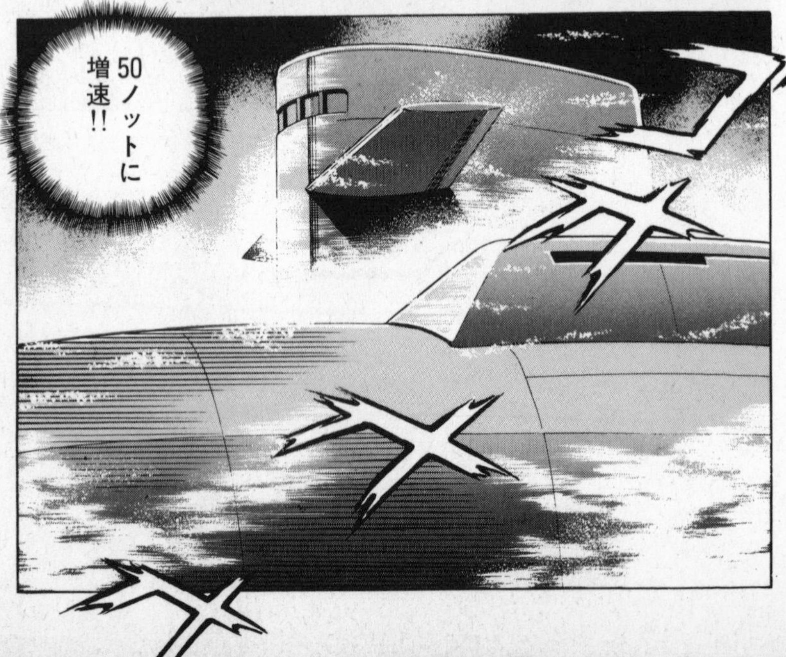
50ノットに
増速!!

ドック排水
ソビエト太平洋艦隊が!!

米軍発表では
ソ連太平洋艦隊の
原潜群が27日
東へ向かった

だが　それは
米第3艦隊の戦力を
分析し　「シーバット」
捕獲のために
ソ連海軍がとった
陽動作戦と思われる

同時刻に
ウラジオストック
から　アルファ級が
南に出ているんだ
そのアルファなら
「レッド・スコーピオン」だ
ソ連太平洋艦隊の切り札
自分はそっちが本命だと
思いますな

おそらく当海域で「レッド・スコーピオン」は「シーバット」を捕捉追撃している

そいつは危険だ「シーバット」は第7艦隊と同じように「スコーピオン」が拿捕しにくれば攻撃をかけます
日ソが一触即発の危機に直面する
その可能性は大きい そうなれば
もちろんソ連大使館もモスクワも知らぬ存ぜぬで通しているが

わが外務省は「シーバット」を友好国と認め これを救護するため当海域へ自衛隊を派遣する準備を調えた!
もちろんモスクワへも通告した!

なにい!!

第2護衛群
護衛艦8隻
搭載対潜ヘリ
8機よりなる
八八艦隊だ

総理の
決断が下れば
いつでも
佐世保港から
出動できる!!

ソ連海軍に
一発脅しを
かけようってのか
わが国の
意志表明だ

弱腰の外務省に
しては ずいぶん
思い切った手を
打ったもんだ
アンタの立案か!?

米軍が
どう動くかが
問題なんだ

おそらく米軍は
米ソ関係の緊迫化を
懸念して動かない
……と私は見ている
日米安保条約を
無実化してもだ
その時 安保条約の
水面の下から 米国が
何を考えているかが
見えてくる

われわれ日本人がペリーの黒船以来再び目にするアメリカ合衆国の本音だ
日本は自立への道を歩み始めるのだ!

八八艦隊出動はソビエトと そして米国に突きつけた日本の刃だ

「やまと」49ノットで魚雷に直進します!

49ノット!!

ロブコフ
艦長
50ノット!
「やまと」は
50ノットに
達しました

なぜ
回避しない

水中速力
50……ノット
だと
艦長!

は

おとり(デコイ)も
妨害パルスも
なぜ射たない!
なぜ
自滅する!!

魚雷の
探信モードに
スイッチします
魚雷と
「やまと」
距離500!!

危険な賭けは百も承知だ
だが　日本が自立の
選択肢をとるために
「シーバット」の
核戦力は必要だ

そんな背広組の机上の計算ではリスクを負いかねるなドカンといったら誰が責任をとるんだアンタか

「シーバット」の乗員76名を見殺しにできるか

わが日本政府は基地「サザンクロス」を用意して待っていると海江田に伝えて欲しい

1本目来ます距離300!!

命中は20秒後です

!!

わが艦と魚雷との現在の距離を解析!
急げ!
ハッ

ロブコフ艦長
1950
メートル

カチ!
近い……全員
衝撃に耐えろ!

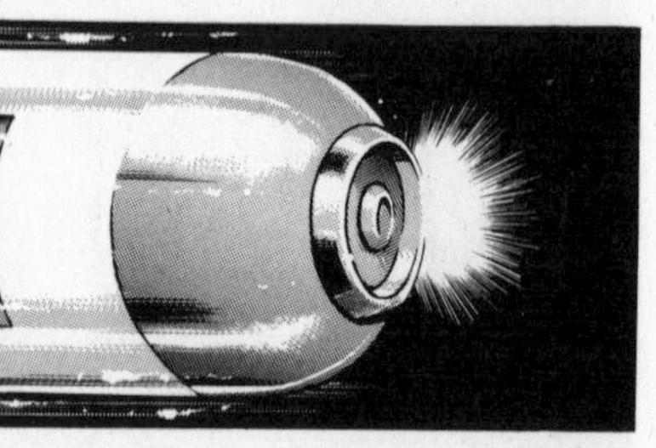

!

VOYAGE 35 天津の決断／END

VOYAGE 36
「シーバット」反撃

ホワイトハウスが「シーバット」の独立を認めるってのは
アメリカも業を煮やして懐柔策をとるつもりですかネ

なんだか世界がだんだん海江田艦長の作戦通りになっているみたいですな
カカカ
ならねーよ

米ソがそんな
甘ちゃんかよ
軍事力で世界を
牛耳りたいって国
だぜ 今も昔も
経済大国日本が
核武装すること
じゃねーか
連中が一番
恐れている
ことは何だ
アン!?

俺が米国防省なら
「シーバット」の独立を
認めるって通告し
ハイハイと浮上してきた
ところを ソ連と手を
組んで セーノで
バシッと叩くね
海江田の独立国より
よっぽど可能性が
ある話だ
ガガガ…

ですが　自分は
海江田艦長のロマン
は　時代の流れを
冷静に読んでいる
気がしますが
シュノーケル
交換くらいで　何
トロトロやってんだ
あと30分でやれ
出航予定は20：00だ
！
ハッ
ロマンなんかで
戦争おっ始めて
勝ったためしは
ねーんだ
！
ドン

1本目

艦橋(セイル)正面命中!!

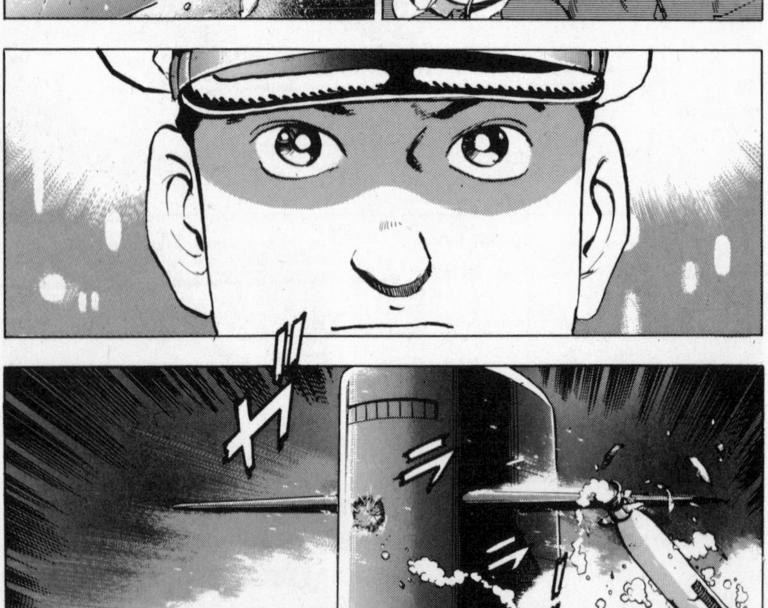

1本目
不発です
ロブコフ艦長!
ち
違う

こっちの魚雷を
「やまと」の
スピードが
不発にしたのだ

恐るべき
「やまと」の
水中航行スピードが
われわれの解析値を
超えたのだ

爆発安全装置の
2000メートル
セットを

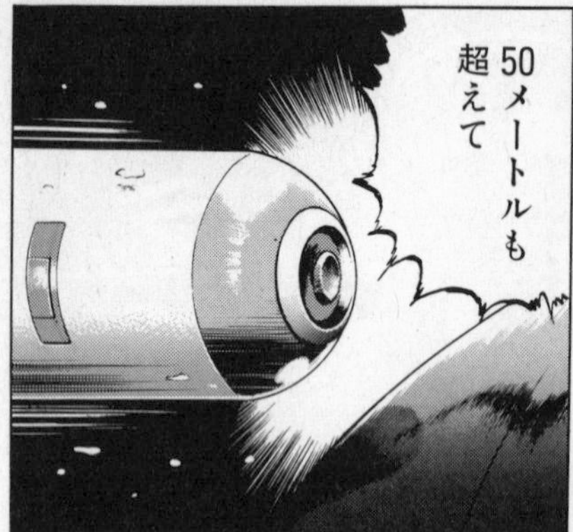
50メートルも
超えて

突入して
きたのだ!!
ドドド

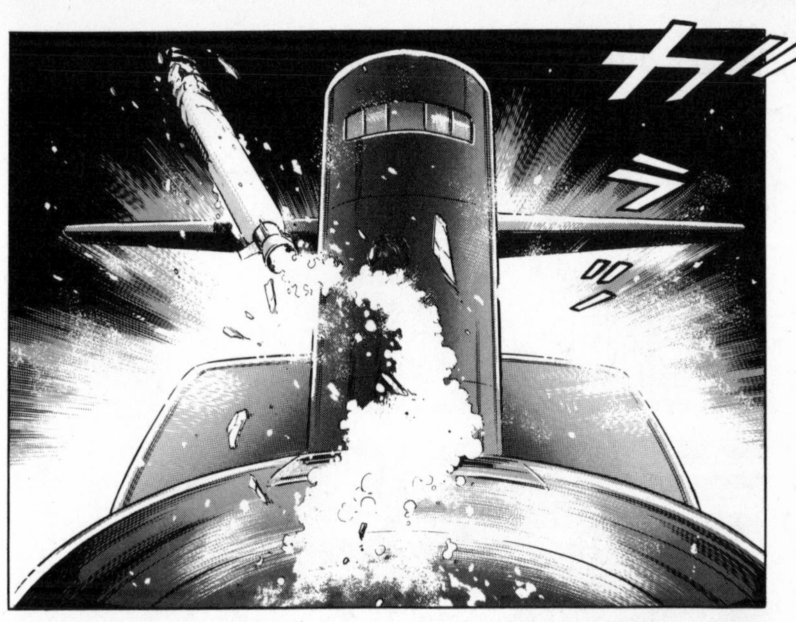
ガガ
ラ
ッ

セルゲイビッチ大佐「やまと」は「スコルピオン」の魚雷安全装置のセット距離を突破!!
す……ばらしい……スピード……だ
「やまと」進路 スピード そのまま!! 突入します

距離が
縮まります!!
50ノット!
距離
500
!!

ロブコフ……何を
している!?
貴様の役割は
終わった
逃げろ
かわすんだ!

魚雷発射
準備だ!
ハッ

ロブコフ艦長!
回避して下さい
衝突します!!

艦
長
!!

11月28日 01:30
東京 ソ連大使館

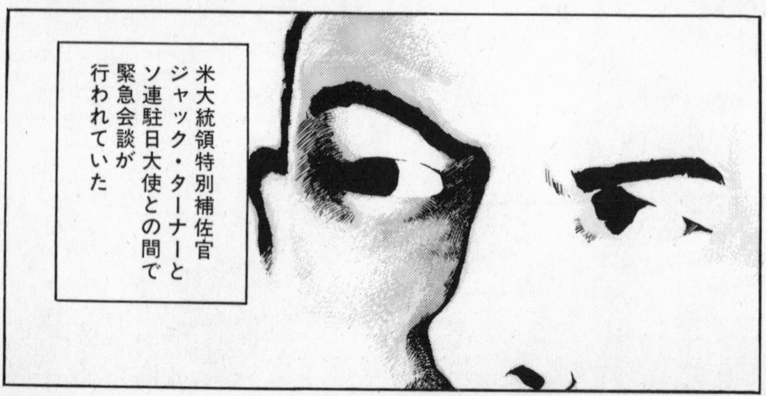
米大統領特別補佐官
ジャック・ターナーと
ソ連駐日大使との間で
緊急会談が
行われていた

大使
ソ連太平洋艦隊が
手を出せば 日本政府は
自衛艦出動もやむなしと
態度を硬化させている
危険な状況
です
ユーリ・
ゴルシコフ
駐日ソ連大使

今回の原潜脱走事件は
日米間の問題であり
ソ連政府には静観を
もしくはわが軍への
協力を望みたい
協力とは!?

日本政府は
核武装した
反乱原潜との
友好条約を
結ぶ気でいる
もし　成立すれば
日本が極東の悪魔と
化して　太平洋戦争が
繰り返される恐れが
充分にある

ところで補佐官
独立国「やまと」
とは　一体
どういう意味
ですかな？
親日派の
狂った士官が
わが第7艦隊から
独立を望んで
いるのです　大使

わが国防省では
これを・認めた上で
早急に事件解決に
向かいたい意向です

もし協力が得られるなら　公海上で貴国の原潜が　わが第3艦隊原潜2隻に対し攻撃し損害を与えた件を
不問にしてもよろしい……かと

日本に自立はありえないのだよ天津次官
日本は永遠にアメリカの最大の兵器市場アメリカの属国バイ・アメリカンでいてもらう!

お前は
軍人ではない!!
お前は一体
何者だ
軍人なら
報復としてこっちに
魚雷を射ち込むはず
艦長
衝突
します
取舵一杯!

ギャギャギャ
右舷に接触!!
右舷潜舵破損!!

これが20世紀最後の戦闘の姿なのだ「スコーピオン」

VOYAGE 36 「シーバット」反撃／END

VOYAGE 37
母国のために

右舷潜舵破損ッ!
潜航不能!!

「やまと」右舷後方遠ざかります距離100!

同志ロブコフ浮上して下さい
艦を回頭せよ3番4番魚雷発射用——意!
ハ!?

こっちが浮上すると読んで敵潜は艦尾を向けている
1000メートルの深海に逃げ込む前に今度こそしとめるのだ
ガ
ガ
3番4番前部扉開け注水!!
音響誘導安全装置セット距離500
大ロシア海軍の意地を見せてやる「やまと」!!
ゴゴゴゴ

後方魚雷発射管注水音距離200!!

「スコーピオン」回頭中です

で ですが!!
あの艦長は射たん
すでに勝負はついている

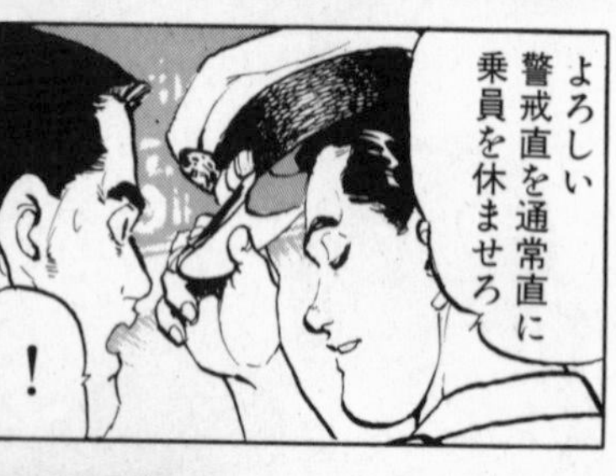
よろしい
警戒直を通常直に乗員を休ませろ
!

セルゲイビッチ大佐
「スコルピオン」回頭中 魚雷管注水音が聞こえます
「やまと」キャブ・ノイズ方位2－2－8

速力20ノット本艦左舷約1000メートル通過します
!
逃がさぬ「やまと」……!!

水中電話回線を
あの艦に
つなげ！
！

なんとしても
この化け物の
ような艦を
わが海軍に
迎えるのだ

グズグズするな
「スコルピオン」が
魚雷を射つぞ
ハッ

艦長　10KHz（キロヘルツ）の超音波　水中電話の発信です
右舷前方にもう1艦います！

沈底警戒中の艦　艦形はわかりませんが　距離約1000！
こっちの性能に驚いてコンタクトをとってきたソ連潜だ

回線を開いてやれ
ハッ!!

繋（つな）がりました大佐!!

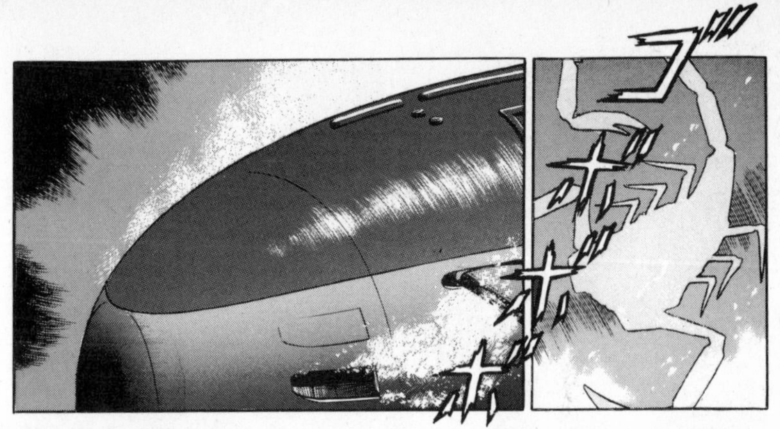
ゴロロ
ボボボボボ

こちら
ソ連海軍政治士官
セルゲイビッチ
大佐だ「やまと」
聞こえるか
オーライ
大佐
あなたの
英語同様
感度は良好です

ウクライナ訛りの
私の英語が通じて
嬉しい……
米国帝国主義に
叛旗をかかげた
貴艦の勇気ある行動に
限りない賞賛を
贈りたい

貴国が　わが国への
亡命ないしは
友好条約締結の意志が
あるならば
わがソビエト連邦は
喜んでこれを
受け入れたい
資本主義の
悪魔から
この地球を救う
同志としてだ

ガ・ピ
残念ながら
大佐……
ピガ

われわれは
西側にも東側にも
与するつもりはない!!
わが国が
闘う相手は

人間と国家の
尊厳を踏みにじろうとする
全ての敵だ
ロプコフ艦長
水中電話交信
です!
ガ。
増幅しろ!!

本艦の理想は
あらゆる人間・
民族の　完全なる
自立！
そして
堂々たる
尊厳の獲得で
ある

ただし
！

わが国が友好条約を
結び　自立を支援
したい国が
ただひとつある
ど
どこだ!?

わが母国
日本！

人類の
核兵器による
戦争は
終結したのだ!

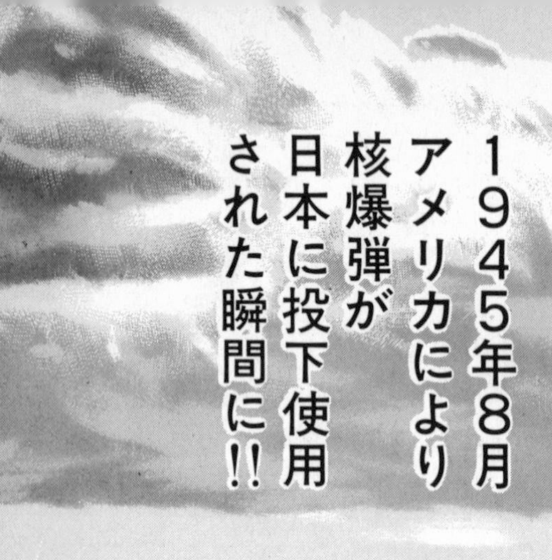
1945年8月
アメリカにより
核爆弾が
日本に投下使用
された瞬間に!!

セルゲイビッチ大佐
先進諸国間の
戦争は　もう……
ないのだ

皮肉にも
人類が造り出した
最高の兵器が
戦争を終わらせて
しまった

以後　文明は
国家軍備による
戦争を　必要と
しない時代に
さしかかっている
それでもなお
強大な核軍備で
世界を征服できると
信じているなら

米ソは莫大な経済力を
軍備に不要に注ぐ
時代遅れの大国として
滅びるであろう

戦争の時代は
すでに
終わった

わが航海は
それを実証する
旅なのだ！

以上だ
セルゲイ
ビッチ大佐

日本が
……!
この化けモノと
友好条約を
……!!

戦争が
終わった
だと!
かまわん
射て　ロブコフ
ごまかすな「やまと」
かつて日本が何をした
あの民族は　また
侵略戦争を始めるぞ
ホワイト
ハウスも
それを
望んでいる

やまと
方位0―0―0
距離1500

深度は
300
変わらず
遠ざかり
ます

艦長……!
ディグニティ
……とは

ДОСТОИНСТВО
わが国の言葉ではな
人間の尊厳……
誇り……という
意味だ

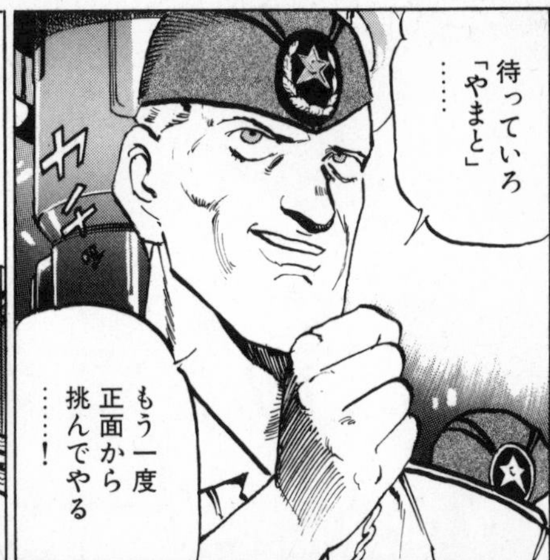

待っていろ
「やまと」
……
もう一度
正面から
挑んでやる
……!

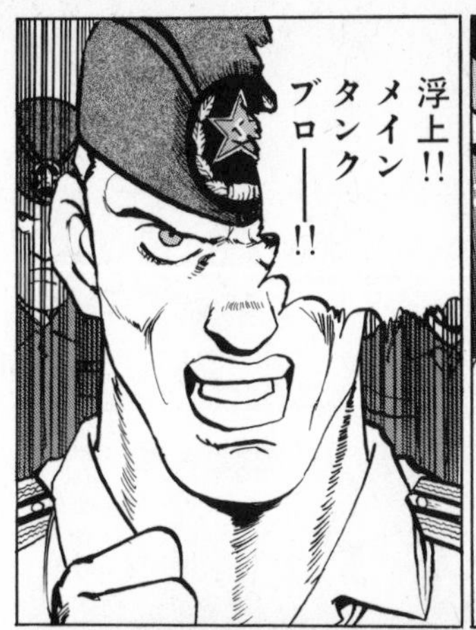

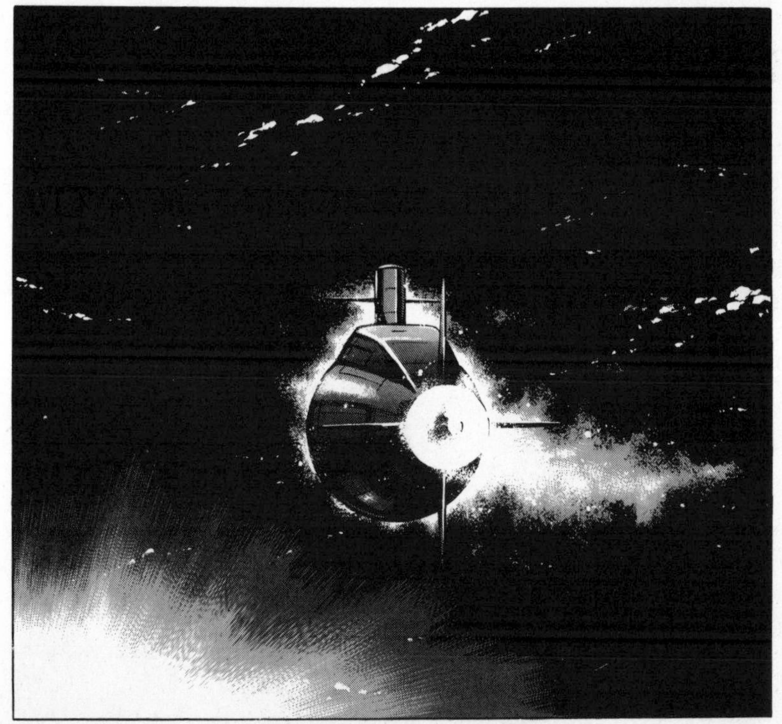

VOYAGE 37 母国のために/END

VOYAGE 38
もうひとつの日本

米軍事監視衛星が
日本海を南下する
大船団を捉らえた

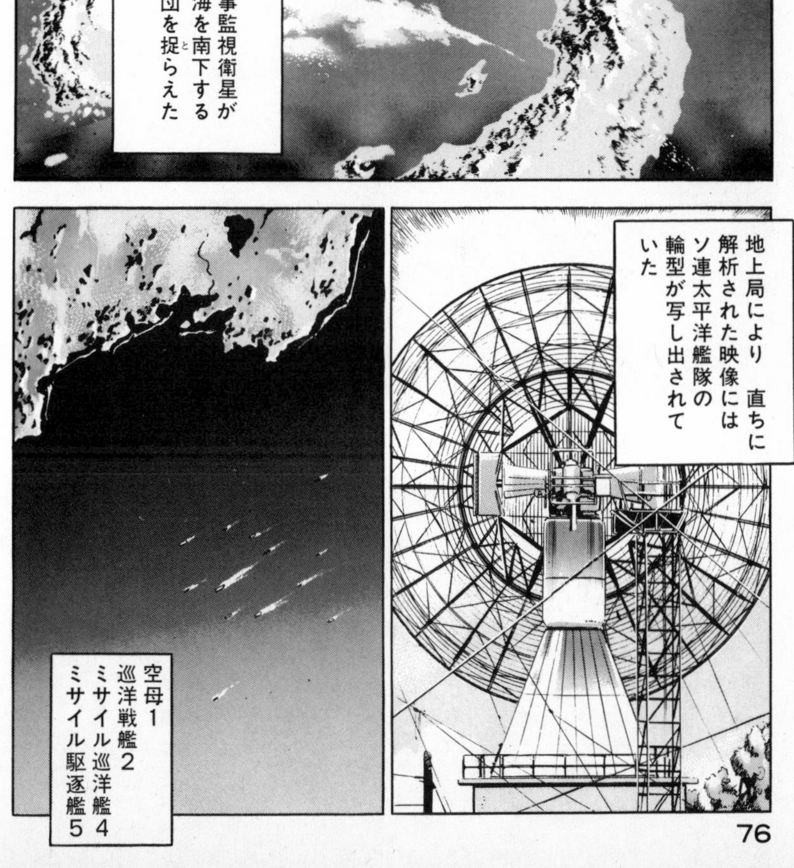
地上局により 直ちに
解析された映像には
ソ連太平洋艦隊の
輪型が写し出されて
いた
空母1
巡洋戦艦2
ミサイル巡洋艦4
ミサイル駆逐艦5

10：30
対馬海峡の
自衛隊レーダー網
がキャッチ

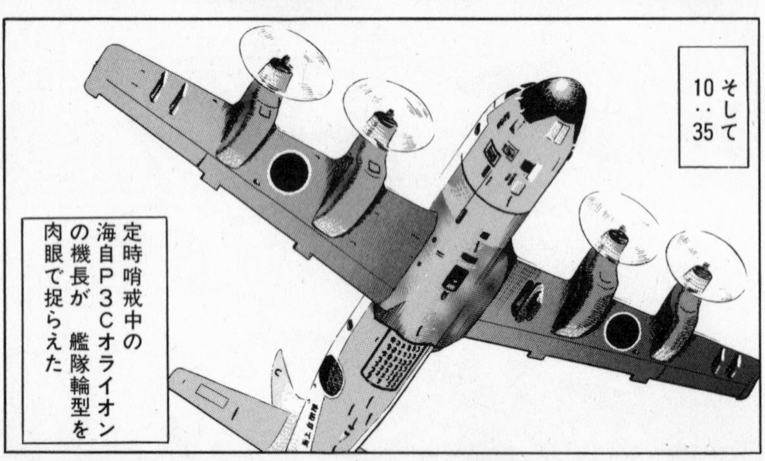
そして
10：35
定時哨戒中の
海自P3Cオライオン
の機長が　艦隊輪型を
肉眼で捉らえた

ミサイル巡洋艦
「ヴァリヤーグ」
巡洋戦艦
「フルンゼ」
空母
「ミンスク」
!!

750

竹島沖20カイリ
北緯38°東経132°
ソ連太平洋艦隊
発見 南下中!!

11:05
東京 永田町
「シーバット」脱走から
5日と20時間
いや あの敗戦から
ようやく40数年を経て

国民の目に
ふれぬ場所で
この日本が
対米ソ関係の
重大決意を
迫られようとしている

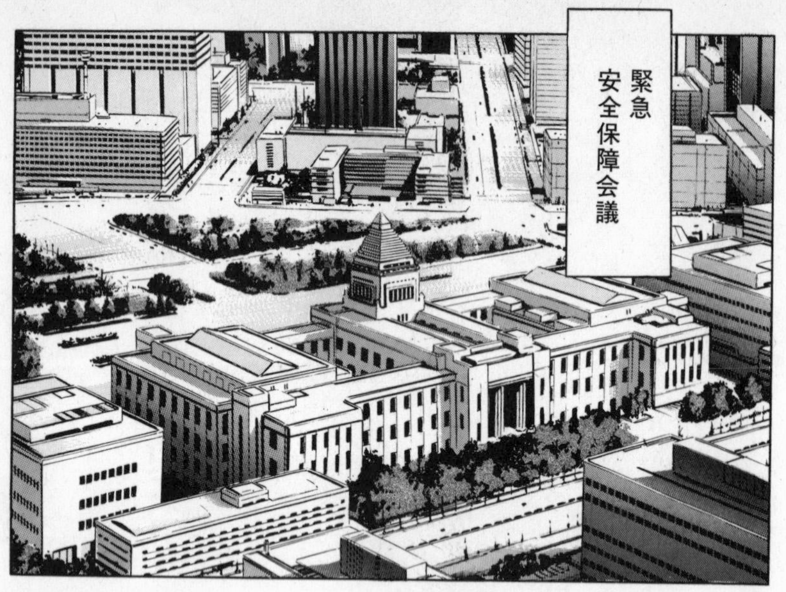
緊急
安全保障会議

内閣総理大臣は
次の事項については
会議に諮らなくては
ならない
「防衛計画の大綱」
「国防の基本方針」
「総理大臣が必要と認める
国防に関する重要事項」

「防衛出動の可否」

ソ連太平洋艦隊は「シーバット」を沈めるつもりです
!!

対馬海峡通過の際 在韓米軍が 海峡封鎖行動に出なかった 米・ソの間で何らかの〝密約〟があると思われます

私も その考えですな ハワイ南西沖の米第3艦隊が 西へ移動中との報告が入っている
ソ連艦隊のこの大胆な行動はやはりアメリカと連動しているとしか思えない

ソビエト政府は静観ではなく
米軍との軍事協力を選択したのだ

アメリカは
何らかの政治工作で
ソ連を抱き込んだん
でしょうな

ウム……

米・ソが なりふり
かまわず動き出した
とあれば やはり
ここは自重した方が
よろしいかと

たった原潜1隻のために
自衛隊を出動させて
これ以上 対米関係を
緊迫させる必要は
ありますまい
た・た・た・
たったの
ではない
あの原潜は
日本なのだ!
!
日本!?

過去　対米関係がギクシャクした時はアメリカの傘の下にいる日本が　いつも頭を下げてきた

「シーバット」はわれわれに先んじて自立を表明した新しいもうひとつの日本なんです

われわれは同盟国国民の生命を守る義務がある
彼らに対する米・ソの攻撃これを黙認すれば
164
167

この日本は国際社会において著しく　威信を失います

しかし
超法規行動をとれば
いずれ国民の目に
ふれることになる
そうなれば
わが政府は
これまでの機密を
ソ連艦隊は
わが政府に
なんの通告もなく
対馬海峡を
南下した!!
これは 国家の
道義の問題です
総理!

内閣の
存続が
問題ですか!?
日本を
守ることが
問題ですか!?

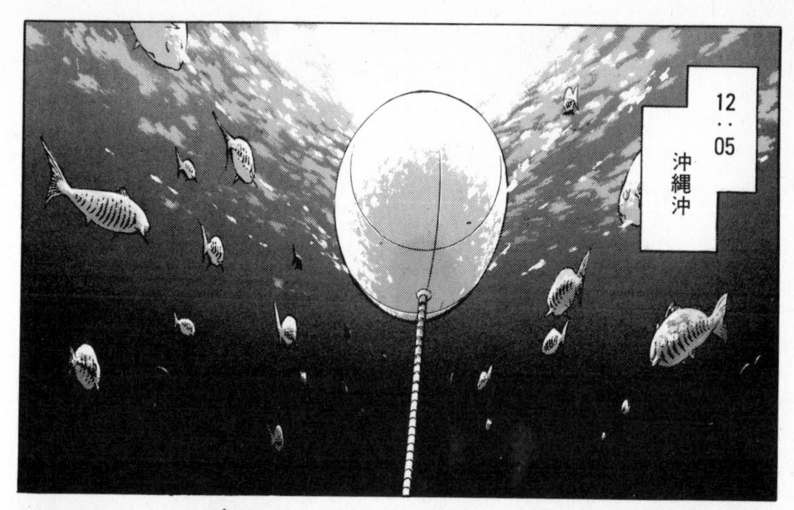
12:05
沖縄沖

横須賀
司令部より
受電!
ブイ
アンテナ
収納!!
深度100
「たつなみ」

旗艦「フルンゼ」空母「ミンスク」までお出ましとは　ソ連も思い切りましたネ
後ろには第7艦隊　第3艦隊が　西へ動いてるとなれば太平洋オールスターキャストです
こりゃ〝袋のコウモリ〟ですな
「シーバット」北上を阻止する　米ソ総力を挙げての包囲網をあの艦長　どう突破しますかネ？
ド
真ん中だ
真ん中!?
また敵中……突破ですかまさか

戦争を求めて
寄ってくるんだ
海江田は！
やつは蛾と同じよ
じゃ なぜ
「シーバット」は
相手艦を沈めても
乗員を殺さないん
でしょう
防大で
キリスト教でも
習ってたんだろ
だから
ナメられて
敵がワンサカ
寄ってくるんだ

今度こそ日本へ
しょっ引いて
帰って
ハ!?
ムショにブチ込んで
二度と海に 出られ
なくしてやる！

ドオオオ
750

総理
決断を!

海上自衛隊第2護衛隊の出動を
要請する!

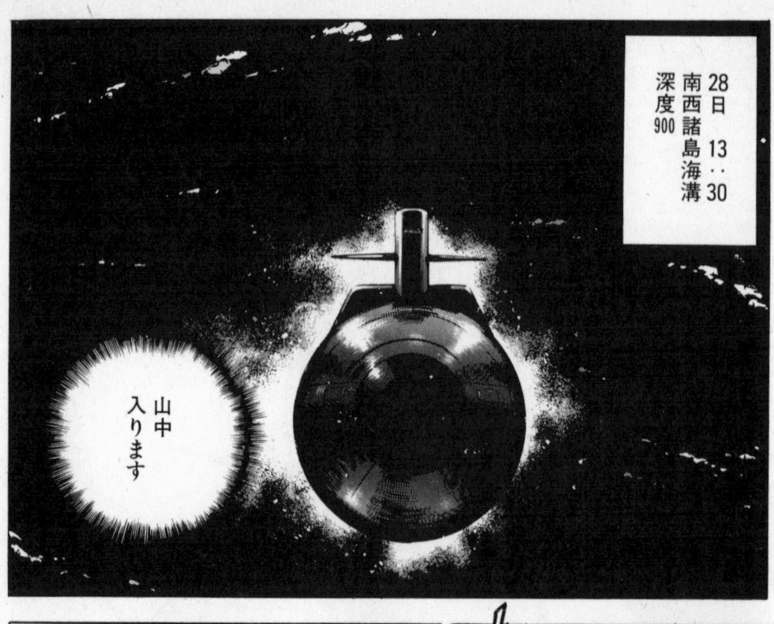
28日13：30
南西諸島海溝
深度900
山中入ります

艦長
お茶が
入りました

VOYAGE 38
もうひとつの日本／END

海上自衛隊
VOYAGE 39
自衛艦隊出動

子どものような
深い眠り……だ

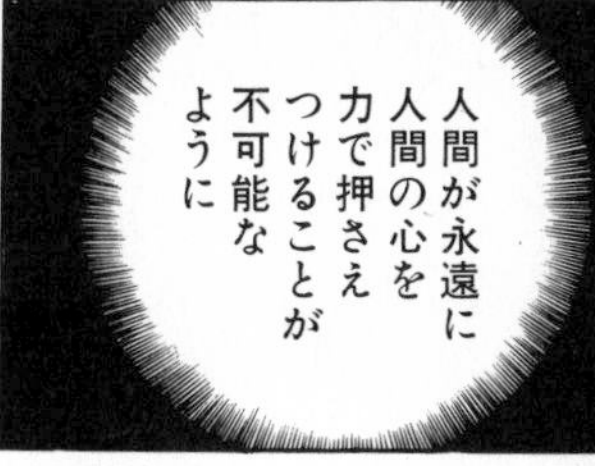
人間が永遠に
人間の心を
力で押さえ
つけることが
不可能な
ように

どんな大国も
他の国家の尊厳を
奪い続けることは
できはしない……！

米・ソの時代は
もう終わる

世界が新たな
時代の幕開けを
確認し
日本が自立
するために

諸君らの技術と
優秀な
原潜1隻
私に与えて
くれればいい

諸君らが
違憲の軍隊として
一生を終えるより
私とともに
歴史の予言者たる
ことを望む!!

徐徐に
あなたの
予言通りに
なっていますネ

今見ておられる
あなたの夢を
自分たちも早く
見てみたいものです
艦長……!

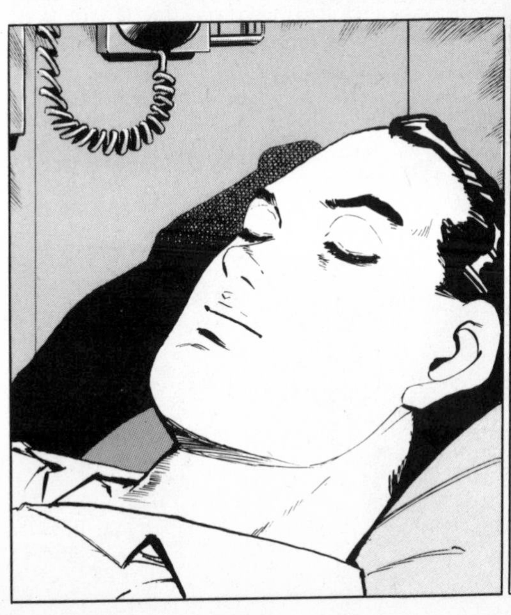

28日 18：30
海上自衛隊
佐世保基地
佐世保地方隊

バタタ…
旗艦
「はるな」

28日 15：30
第2護衛群艦隊司令
沼田一等海佐は
横須賀司令部から
出動命令を受理した
こいつは
時化足が
早いな……
「演習ではない!!」

「沼田司令宛――
第2護衛艦隊は
沖縄沖×点に艦隊を移動させ
米・ソ太平洋艦隊を
牽制することを命ず
海上自衛隊司令部」
各艦より連絡
全艦　出航準備
よし！
よし

こいつは
腹をくくって
出ねばならんぞ
ハッ！
旗艦「はるな」より
第2艦隊
各艦に告ぐ！
各艦
錨揚げ
舫解け！

スタイガー提督!!
こちら佐世保基地
海上自衛隊
旗艦「はるな」以下
第２護衛艦隊
18：30出航します
!!

ついに出おったか
張り子の虎の
艦隊が！
ソ連艦隊の
南下につられて
つい飛び出したって
とこですな

だが 日本が
戦後初めて
アメリカの警告を
無視した
歴史的な日に
なったわけか
その
無視した代償が
どれほど大きいか
思い知りますよ

フン やはり
カミカゼの国だ
ガソリンの海へ
入ってく
聖火ランナーだ
彼らは
ソ連艦隊が
発砲しないと
タカをくくってる

どうだ ターナー
このへんで 日本の
マス・メディアに
この事実を
リークすれば
この国の
「ガソリン
タンク」に
火がつくぞ

それは
できません……な
そんなことをしたら
その火が

かならず
わが議会にも
飛び火する!

フン いつまで
隠し通せるかな
こざかしい作戦を
とってると
バレた後が怖いぞ

この事件は
日・米両国の
マス・メディア
国民の
眼に晒すことなく
極秘裡に 深海にて
処理することが
大統領の意向です

あくまで
日本が譲歩する
形で……!

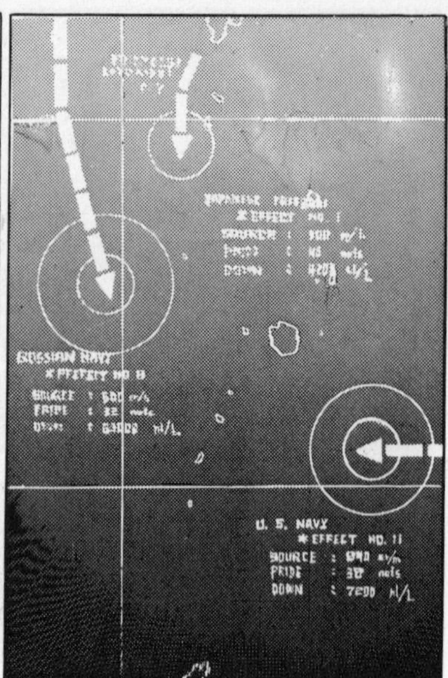
U. S. NAVY
＊EFFECT NO. 11

米・ソ両太平洋艦隊が接触する時間はおよそ20：00の予定

わが第2護衛艦隊の到着は24：00

米艦隊の発砲という事態にならなければよいが
それはありませんね

西側同士が戦えば
西側のリーダーシップを
とっているアメリカが
そのリーダーシップを
完全に失った
ことになる

問題は
ソ連艦隊の
出方です!!

そして　いかに
日本の力を誇示しつつ
引くか……という
外交戦略だ

洋上艦隊は
デモンストレーション
として
決戦はやはり
潜水艦になるな

海自の対潜作戦能力は
わが軍に
ひけをとらないと
聞いている

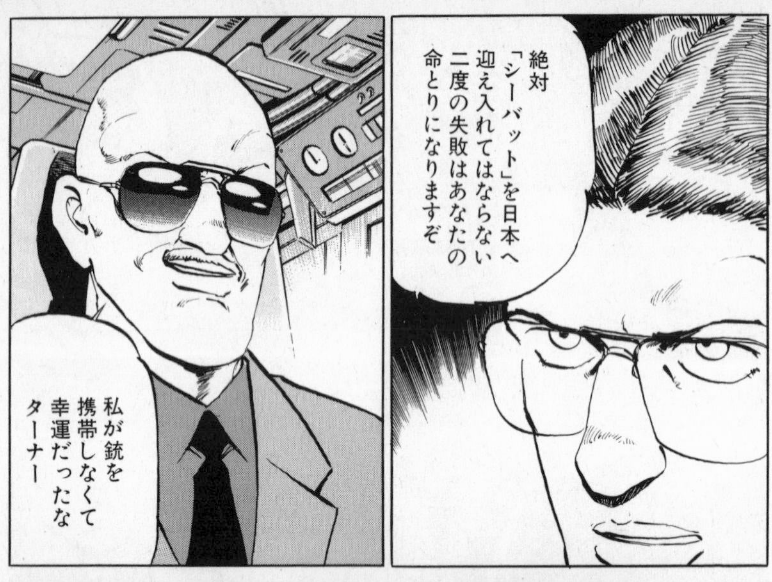
絶対
「シーバット」を日本へ
迎え入れてはならない
二度の失敗はあなたの
命とりになりますぞ
私が銃を
携帯しなくて
幸運だったな
ターナー

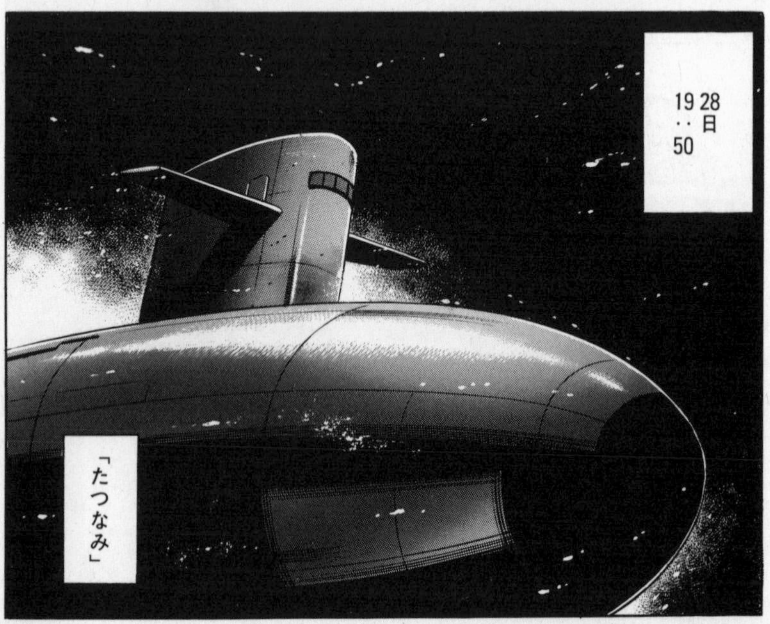
28日
19:50
「たつなみ」

ゴオオオ
どうです
「シーバット」の
キャブ・ノイズ
エンジン音に
ソックリでしょう

よくやったぞ
南波水測長
艦長
こんなモノを
作って
どうすんです
いざというときに
役に立つかと
思ってな

「シーバット」が
2隻いるとなると
連中は混乱する
……

ついでに魚雷の
100発も引き受け
ますか

かわして
みせるさ!
!!

探知(コンタクト)
0―8―8洋上
キャブ・ノイズ
距離
約1万メートル!

どっちだ
騎兵隊か
コサックか?
先頭は
「フルンゼ」
おそらく
コサックですね

よし
全員戦闘配置!
ハッ
これより
無音潜航
速力5ノット!!

無音潜航
速力5ノット
よし

ド
750

ミスター天津
日本政府の選択が
わがステイツを
ナメきった

戦後最大の
大失敗で
あることを

教えてやる!

VOYAGE 39 自衛艦隊出動/END

VOYAGE 40
臨戦態勢

ザザザ
ザザザ
ィィィ…
11月28日 20：30
低気圧通過中の
南西諸島海域
旗艦「フルンゼ」
空母「ミンスク」を
中心にして
ソ連太平洋艦隊が
到着！

直ちに
Ｋａ―25ホーモン
対潜哨戒ヘリ部隊
及び巡洋艦による
697

対潜哨戒作戦に
入った

その東
3万メートル
洋上に

敵潜水艦からの
攻撃をかわすため
ランダムに
フォーメーションを
組んだ

空母「ミッドウエー」
を中心にした
米第3太平洋艦隊が

ソ連艦隊の
対潜作戦を
監視するかのように
陣を布いた！

こちらソナー
探知（コンタクト）！
方位2―2―6
距離2万メートル
洋上に 無数の
シグネチャー

ソビエト
太平洋艦隊が
派手に動いて
います

カチ！
米艦隊の
動きは
わかるか？

西に移動してきた
米艦隊からは
エンジン音
キャビテーション
共に止まりました

どうやら洋上で
米ソ両艦隊が
激突する構えです

艦長！

やはり
米艦隊は
止まったか!
!?
本艦　潜航角度
最大にとり
1000メートル
まで沈降

潜航角度最大
深度
1000!
速力2ノット
微速よし!
速力
2ノット
微速──ッ

艦長！
なぜ米艦隊は
ソ連艦隊を妨害
しないのです

妨害したくない
理由があるのだ

万一の衝突を
懸念して
動けない!?
ゴボボボ
アメリカは
そこまで
弱気な国では
ない！

アメリカの敵は
ソ連艦隊では
ないという
ことだ

では!?

まア 見ていろ
いまに米・ソ艦隊の
猿芝居が見られる

725
米
ロス級原潜

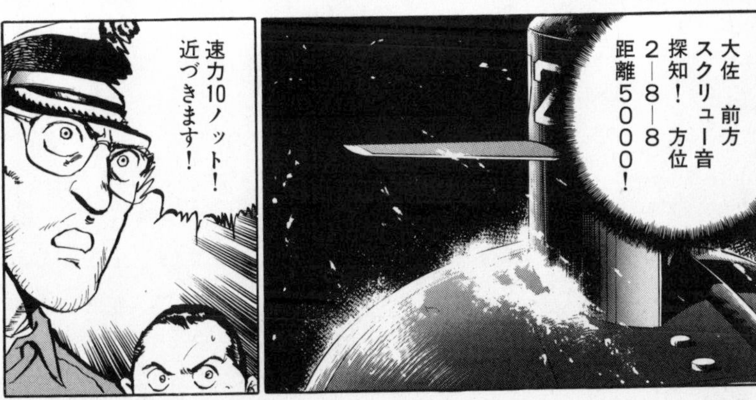
大佐 前方
スクリュー音
探知！ 方位
2―8―8
距離5000！
速力10ノット！
近づきます！

警戒
速力5ノットに
減！
「シーバット」
か
速力
5ノットに
減
アイ！
ソナー
エンジン音
キャブ・ノイズ
の解析　急げ!!
魚雷発射管
注水急げ！
1番2番
発射用ー意
アイ！
むこうも速力を
減速しました
警戒して
います！
魚雷発射管
注水音!!

「シーバット」ではありませんソ連攻撃型原潜ヴィクターⅢ型

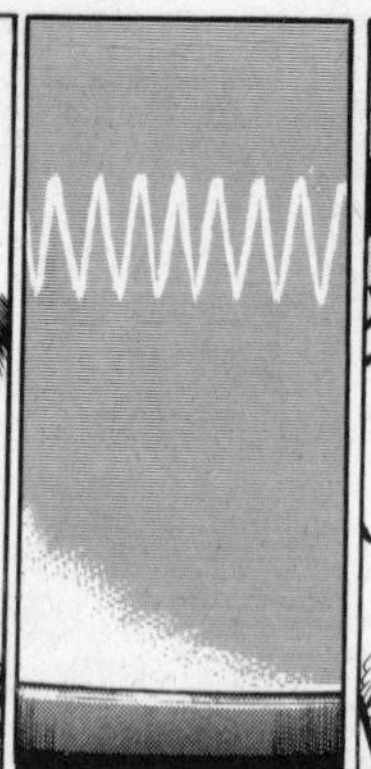

米原潜ロス級です！艦長

やりすごせ攻撃命令は受けておらん
カチ

針路を妨害するなそのままだ

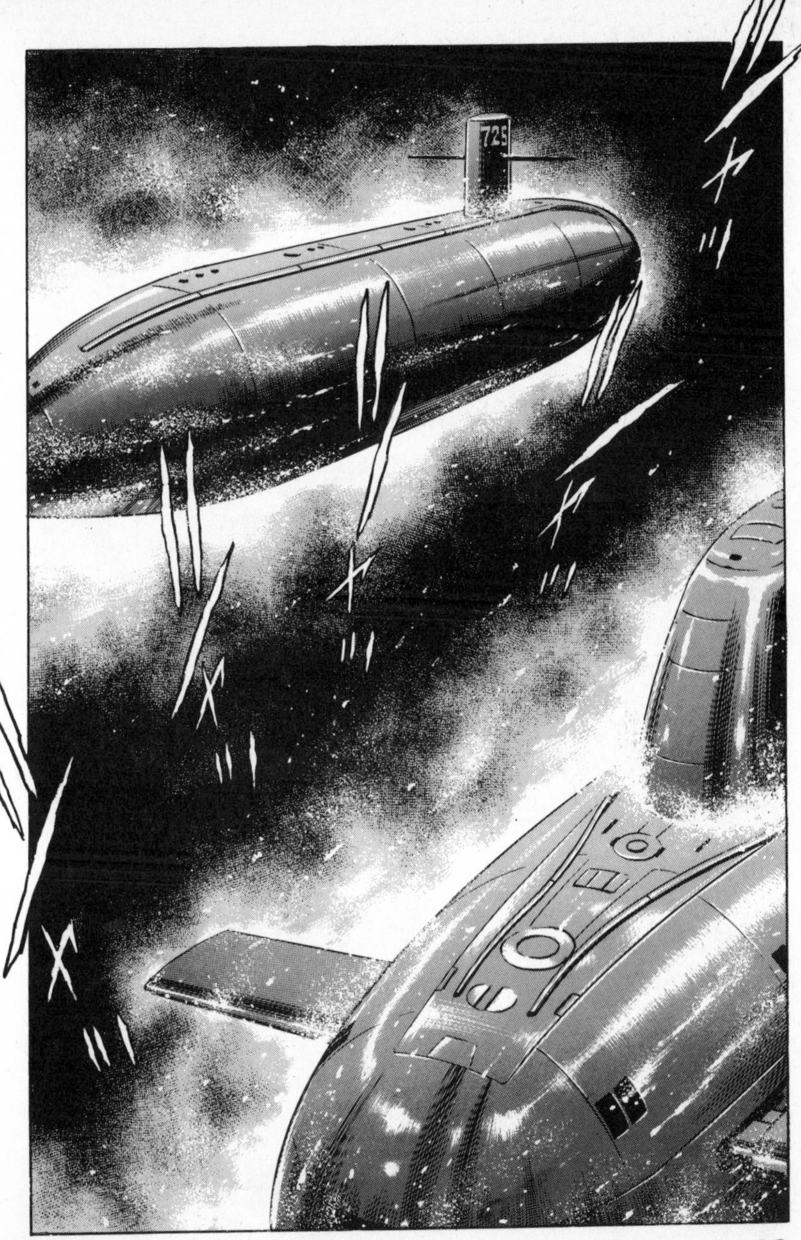

米・ソ原潜深度600!!

素晴らしい
米・ソの
海中デタント
まさに
歴史的な
瞬間だ

針路妨害も
追尾もせずに
すれ違った
という
ことは
なるほど
水上艦艇は
にらみ合っている
フリをしているが

海中では
米・ソは
手を握っている
つまり軍事協定が
成立していると
いうことだ
じゃ
米艦隊は一体
何を!?

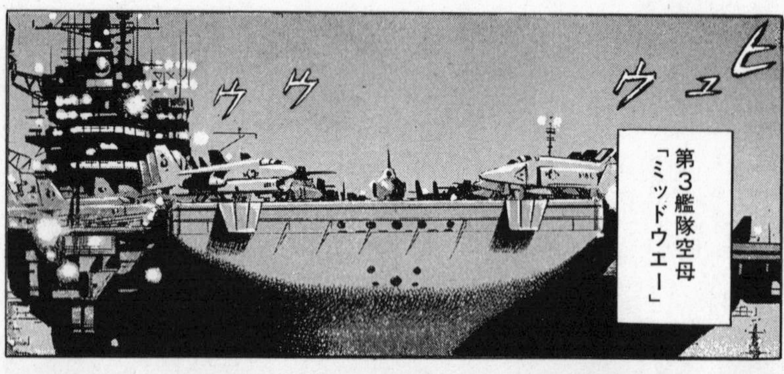
ウウウウ
ウェヒ
第3艦隊空母
「ミッドウエー」

米第3艦隊司令
アラン・B・
ランシング少将

まだ
「シーバット」を
捕捉できんか！

わが原潜艦隊
からは　連絡は
入っておりません
ソ連艦隊にも
それらしい
動きは
見られません
フム

ハッ

いいか
洋上艦は絶対
ソ連太平洋艦隊を
刺激してはならんぞ
ハッ

あと3時間もすれば
佐世保を出た
海上自衛隊が
到着する

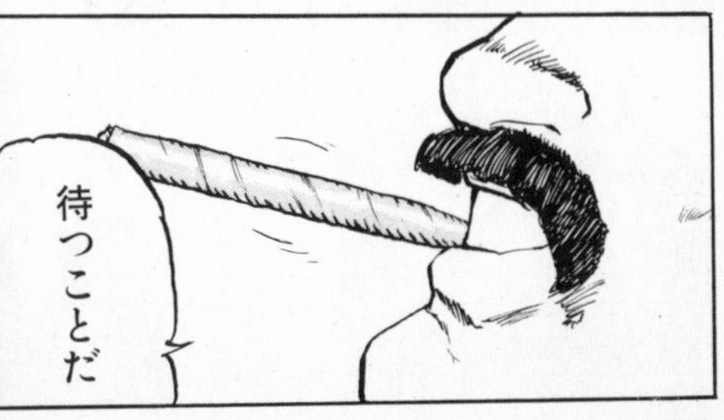
待つことだ

わが艦隊の
作戦行動は
それからだ
第7艦隊
〝ヒステリック〟
ボイスの仇は
討ってやる
ソ連空母
「ミンスク」

ソ連太平洋艦隊司令
ユーリ・アンドロポフ
少将
わが艦隊の
対潜作戦能力を
見せつけてやる
「やまと」を
米艦隊より早く
発見して
いくことだ
この作戦で
ホワイトハウスに
払い切れない
貸しを作るのだ

これで
ハッキリした
米・ソの敵は
本艦と日本だ!!

おそらく海上自衛隊
水上艦艇が
米軍指揮を離れて
独自に当海域へ
向かっている

米艦隊は
それを
待っている

何のために!?

私が米軍司令なら
ソ連艦艇への牽制と
見せかけて 本艦を
護衛しようとする
自衛艦を叩く
日本に思い知らせる
絶好の機会だ
ですが まだ
自衛艦がわが艦を
援護するとは……

それに
通信手段が
なければ
確認もできない
どうします
ひとつだけ
方法がある

われわれが
発見される
ことだ
!
日本が本当に
米軍指揮から
離脱するかどうか

VOYAGE 40 臨戦態勢／END

VOYAGE 41
自衛隊到着

585
11月28日
23:03

ソ連
クレスタI型
巡洋艦

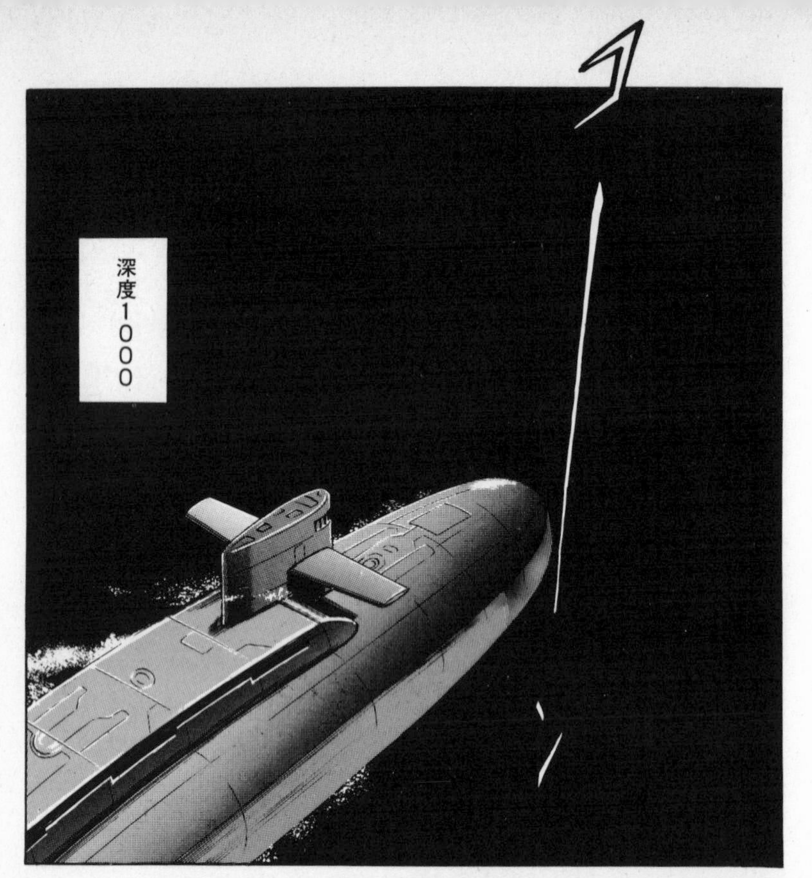
深度1000

2軸推進音
真上を
通過します
針路2―2―0
探信音が
徐徐に
近くなったな

これで
ソ連水上艦艇は
発見した
でしょう
おそらくな

してくれなければ
こちらも次の手が
打てぬよ
出るなら佐世保の
第2護衛艦隊
司令は沼田一佐だ
ですが艦長 たとえ
自衛隊が来たとして
万全の米・ソ両艦隊に
対し 作戦行動が
とれるでしょうか!?
米・ソ艦隊を
向こうに回して
艦隊をフルに
動かせるのは
あの人しかおらん

ピ
リムパックで
腕は
証明済みだ
ッ
探信音だ
発見
された!!

ピ
ーッ
さきほどの
2軸推進音
面舵一杯で
戻ってきます!

感あり3隻います!!
米原潜か!?

おそらく2つは……!

ですがひとつ
ゆっくり方位0─0─2に進んでいるのがいます

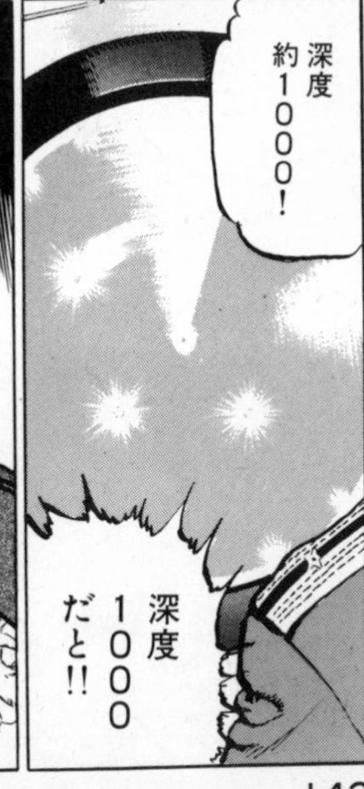
深度約1000!
深度1000だと!!

米原潜にこれほど深く潜れる艦は　いません!

こいつがおそらく「やまと」です

見つけたぞ「やまと」
魚雷攻撃のできぬ深深度に艦をとってやり過ごすつもりだろうが　逃がさん!

転舵!!
針路0―0―2
両舷微速
速力2ノットで
追いかけろ

針路0―0―2へターーン
舵固定!
両舷微速
速力2ノット
よし!

ズ
ザ

「やまと」発見!!

米艦隊に傍受されぬよう発光信号を僚艦に送れ!
ハッ

北緯23°
東経127°
速力2ノット
カッ
カッ
針路0—0—2
深度1000にて
北上中!!

!!

「やまと」は
日本の原潜
ですか
沼田一佐!?
米第7艦隊の中に
「やまと」と名乗る
酔狂な奴はおらんよ

じゃ 一体誰なんです
「やまと」と名乗って
独立国を唱えるような
伊達男が わが隊に
いるんですか
いるとすれば
海江田四郎
二等海佐 いや
死んで海将補
だったな

海江田……!!
しかし
そう　海江田は
半年前　小笠原沖で
ソ連潜と衝突し
「やまなみ」乗員76名
と共に　死んだことに
なっておる……

だが　潜水艦1隻で
米・ソの艦隊を
手玉にとれるような
日本の潜水艦乗りは
……海自には2人
しかおらん
141
言動に気をつければ
とうに一等海佐に
出世していて
おかしくない
深町洋　二等海佐か

海自始まって
以来の英才と
うたわれた
海江田四郎だ
5年前
八丈島沖の
哨戒訓練の時
……

私は　風速が
20メートルを超える
こんな時化の状態で
目標艦「やまなみ」を
追っていた

だが　私が指揮する
対潜哨戒部隊は
「やまなみ」を
深度80　前方1000
メートルまで追いつめ
急に失探した
141
144

そのとき艦隊を
2列縦隊に組んで
おったのだが

海江田は
エンジンを止め
艦隊の後尾の
航跡の中に
隠れたのだ
『正体不明』と言って
ソナーの死角だ

だが　そこは
自らのソナーも
効かぬ……
余程　勘が
よくないと

衝突事故に
つながる
危険な場所だ

逃げるとしたら
そこしかない
だが　あの男は
逃げるどころか
そこから　艦隊の
縦列の中へ

ドンピシャリ
「やまなみ」を
浮上させてきた

神業 いや
奇跡といって
いい
もちろん
わが哨戒部隊の
完敗だ
141

私は　そのとき
この男　ただの
秀才ではない
なんだか……こう

海自では　おさまりきらず　今に世界の海軍を相手にする男だと空恐ろしくなったことを覚えている

その「やまと」がとてつもなく大胆で緻密な操艦をするとしたら

間違いなく操っているのは海江田だな

天候はますます悪くなるな……

全艦に　遅れずついてくるよう発光信号！
ハッ！

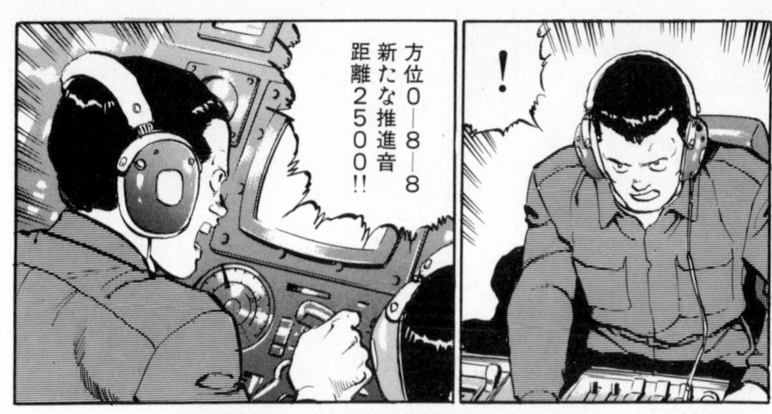
!
方位0─8─8
新たな推進音
距離2500!!

この
2軸推進音は
「フルンゼ」です
間違いありません
ソ連艦隊は
包囲網を
せばめます!

遠慮は
いらぬ
もっと
近くへ来い
……!

ドガッ

ザア

ヒュ
ヒュ
ヒュ

ランシング
司令
ソ連艦隊が
集結します!
米空母
「ミッドウエー」

なにい!!

動きから見て
「シーバット」を
発見したものと
思われます!!

イワンのバカが
艦を集めおって!

ピ
ギッ
自衛艦隊に「シーバット」の位置を教えてやるようなものだ!!

方位2―8―2 自衛艦隊がレーダーに入りました
距離1万2000!!

フン まあいい 専守防衛の自衛艦に何ができるというのだ
各艦に連絡 出動準備だ!

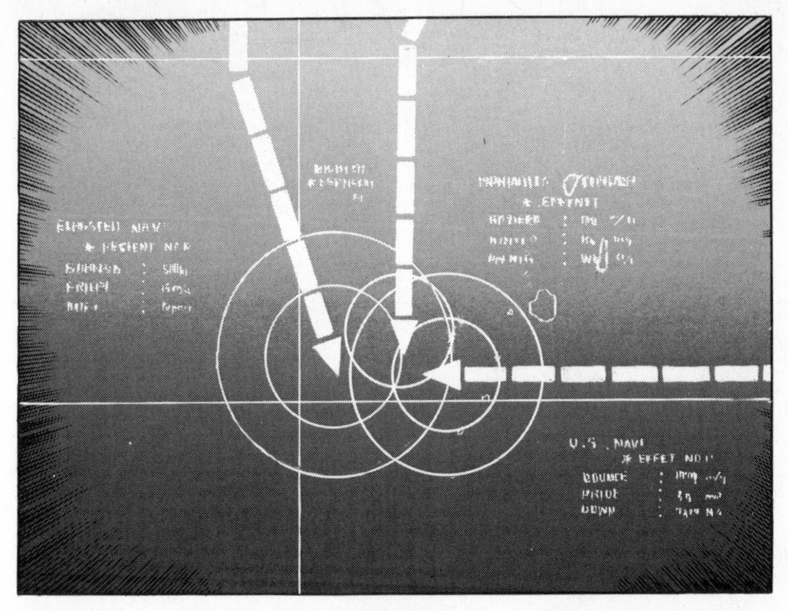

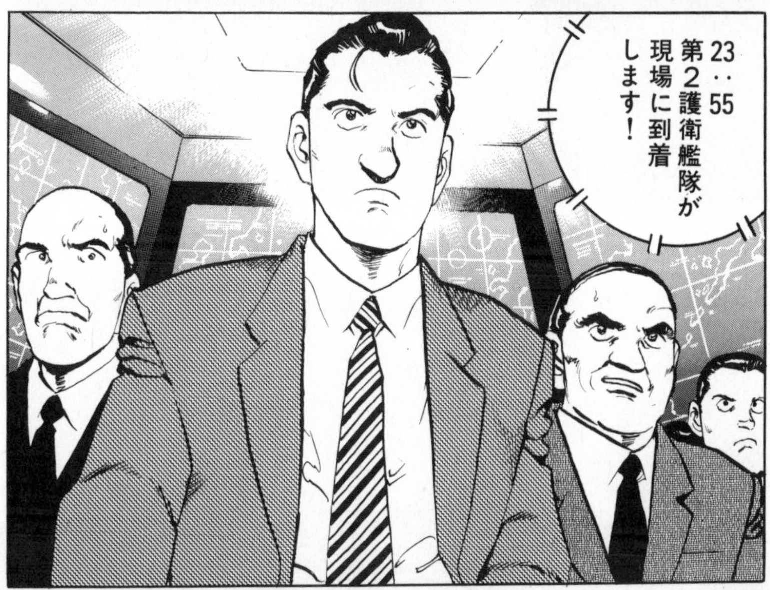

23:55
第2護衛艦隊が
現場に到着
します！

VOYAGE 41 自衛隊到着／END

キュン
キュン

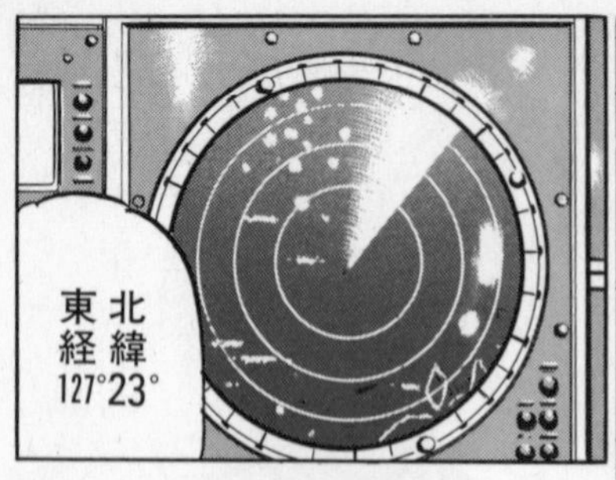
北緯 東経 127°23°

右舷前方 7000メートル
ソ連艦隊が集結します!!

司令 「やまと」は探知されましたな
ウム それも絶体絶命のピン・ポイントだろう

まア 捜す手間がはぶけたってことだ おそらく「やまと」はソ連艦隊の中央にいる!

司令
ヘルメットと
ライフベストを
装着下さい
おう
ありがとう
ではソ連艦隊の
攻撃も　時間の
問題と思われま
すが！
ギャ！
いや
攻撃したくても
魚雷の届かぬ深度に
「やまと」が
いるのかも知れんぞ

ギュッ
とすれば
900メートル以上
ということに
なるが
900メートル！
各艦に発信
両舷全速
各艦距離500に
とれ！
ハッ
艦隊航行
2列縦隊!!

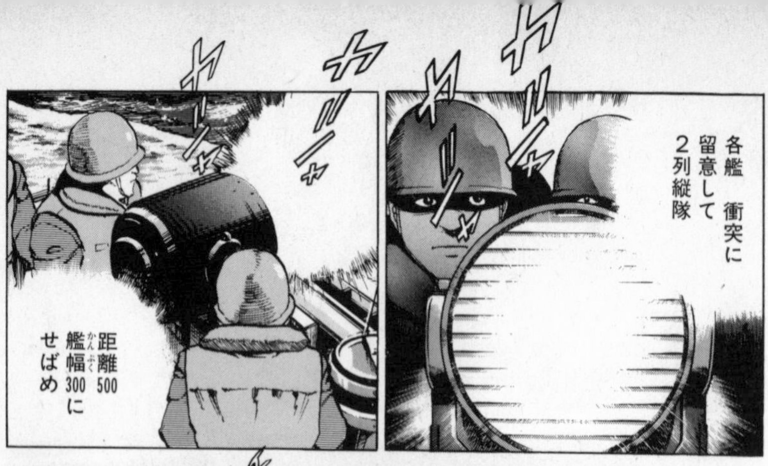
各艦　衝突に
留意して
2列縦隊
距離500
艦幅300に
せばめ

旗艦「はるな」
以下　全艦
面舵10°!!
チカ
チカ

ソ連艦隊の
正面へ
転針!

141
141

VOYAGE 42
ピン・ポイント

ソ連空母「ミンスク」
アンドロポフ司令 前方5000メートル 自衛艦隊が全速で進路をこちらに向けました

こっちを牽制する気だ

これで気を許した「やまと」が深度600まで浮上すればチャンスだ

一瞬の攻撃チャンスを逃すな!
ハッ

なるほど
……

ソ連艦隊は
こちらの動きを
歯牙にもかけぬ
やはり獲物を
ガッチリ捕らえ
てるな

アクティブ・
ソナーで
モールス
発信用意
ハッ

こう艦が集まっちゃ
スクリュー音が
ジャミングし
「やまと」は
こちらの音が正確に
捕捉できまい　こちらの
位置をハッキリ教える
必要がある
ハッ　しかし
ソ連艦船も
激しく探信して
ますが

なに
耳のいい
ソナーマンなら
聞きわける
各艦に
発信!

わが艦隊は
このまま
ソ連艦隊の中へ
突入する!!
ハッ!!
航海長
現在の速度で
ソ連艦隊と
ぶつかるまでの
時間は!?
ハッ
わが艦隊が
20ノット
全速!

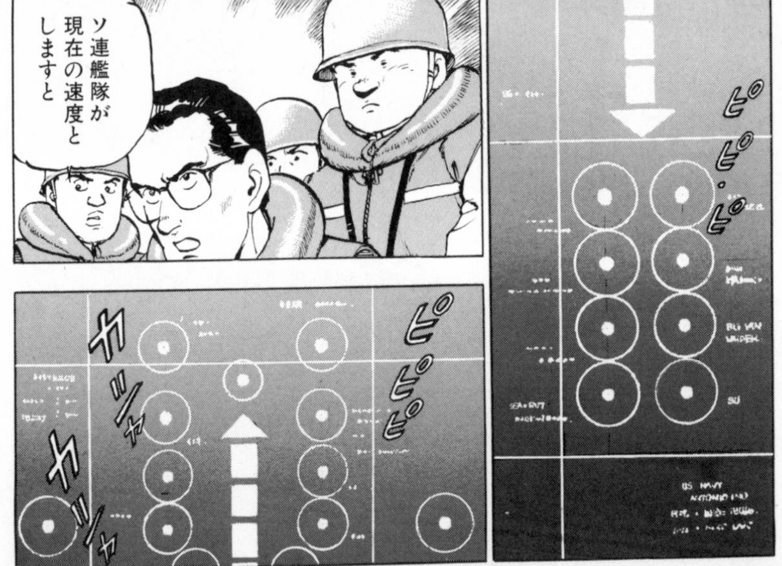
ピピピピ
ソ連艦隊が
現在の速度と
しますと
ピピピピ
カシャ
カシャ

約20分……後です
フム……
ですが司令
艦幅300ではこの時化で玉突き衝突を起こす危険があります
艦幅を広く展開してソ連艦隊を牽制すべきだと思いますが

戦闘で最も効果を発揮するのは不屈の意志を敵に見せることだ
「やまと」を守るには洋上からサンドイッチにするしかない
あの男ならわが艦隊の真下にドンピシャリ操艦してくる筈だ

121

コォーン
コォーン

コォーン
コォーーン

カーン
コーン
!?
ソナー　洋上からの探信音におかしな音が混じっているがどうか!?
カチ

ハッ
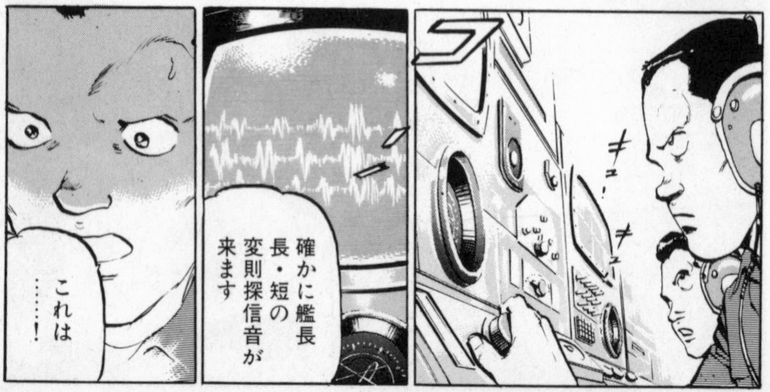
コーン
確かに艦長
長・短の
変則探信音が
来ます
これは……!

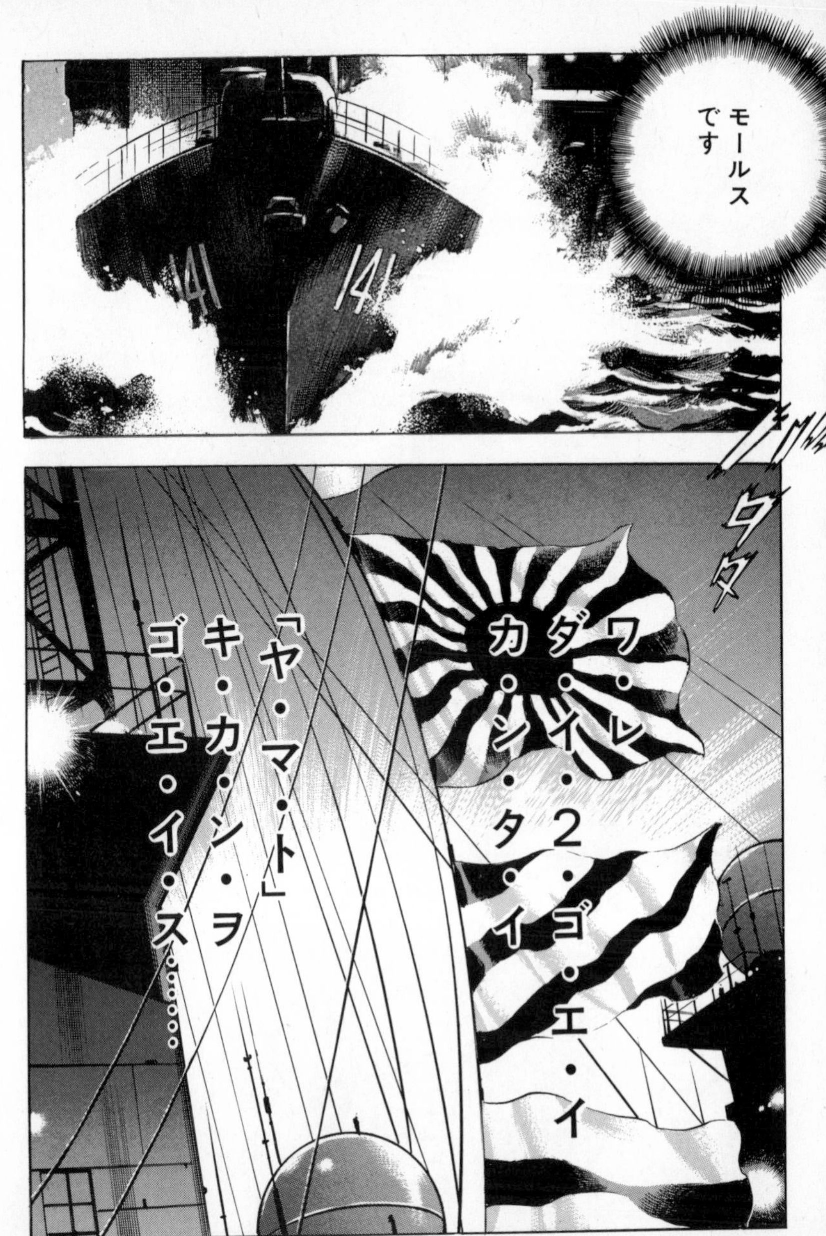
モールスです
タタ
ワ・レ
ダ・イ・2・ゴ・エ・イ
カ・ン・タ・イ
「ヤ・マ・ト」
キ・カ・ン・ヲ
ゴ・エ・イ・ス……

艦長
電文は
……
ギッ!
聞こえたよ　溝口
護衛艦隊の
針路・速度を
正確に探知しろ!

モールス探信音は
本艦前方0―0―0
距離5000メートル洋上からです!

2列縦隊と
思われます!!
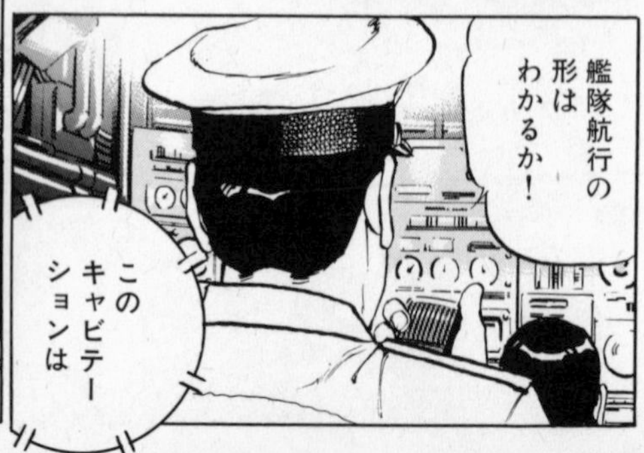
艦隊航行の
形は
わかるか!
この
キャビテーションは

腕を見せろと
おっしゃる
のか
沼田一佐！
ザッ
ソ連艦隊
との距離
4500!!

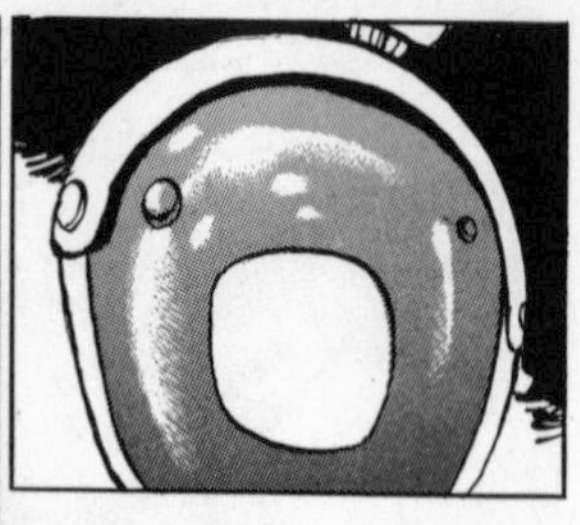

艦長
今のモールスは
確かに護衛艦隊
からの発信音ですぜ
！

洋上から
「シーバット」
に向けて！
ギ
「シーバット」
が探知したと
思うか

保証しますよ
あっちの水測
隊じゃ自分の次に
耳のいい溝口です
よ

海江田め
とうとう
日・米・ソの
太平洋艦隊を
引きずり出し
やがった
それも
ピン・ポイントに
ゴチャッとだ

でも
海江田艦長は
ほんとはこの瞬間
を待ってたんじゃ
ないですかネ
ほう……全部
集まったところ
で和平交渉でも
やろうってのか

上にいるソ連艦隊は
日本海でシャケ捕っ
てる連中とは違ってな
アメリカがバックに
ついてるんだぜ

自衛艦は先手を
とって攻撃
できねーんだ!!

全速前進
深度500！
ソ連艦隊の後方に
潜り込む
ハッ

全速前進
深度500
よし

艦長
左舷280°より
米艦隊!

接近します

なに

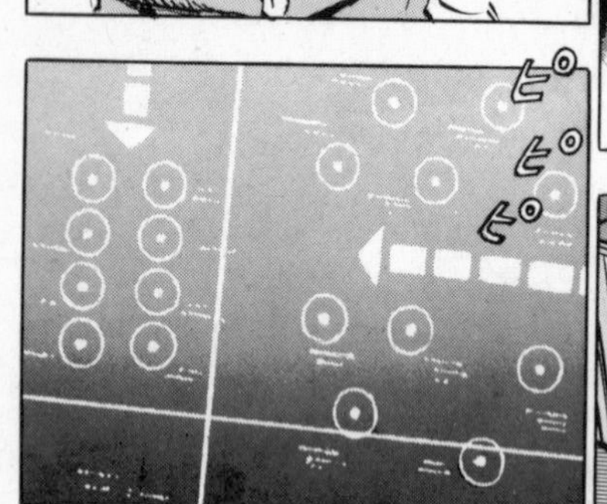
ピ
ピ
ピ

距離6000!

司令
どう動くつもり
でしょうか!?

あの陣形だと
力で押して
くる気だ

艦隊
針路・速度
このまま!
ハッ!!

ソ連艦隊
前方
自衛艦隊
距離3500
突入して
きます!!

「やまと」
浮上します！
深度850！

なにぃ!!

SSN―3
シャドック
発射用ー意
爆発深度
400にセット！

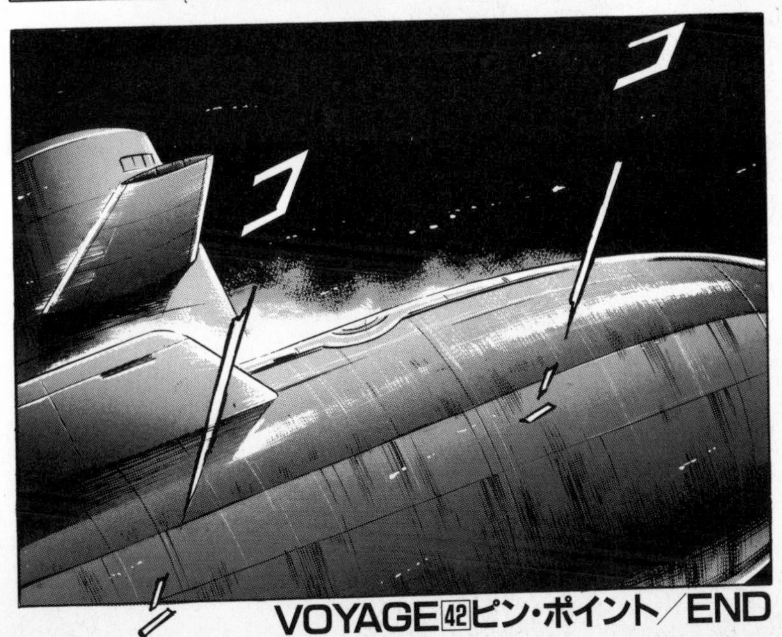
コ
コ

VOYAGE 42 ピン・ポイント／END

VOYAGE 43
火ぶた

右舷10°
距離3000
ソ連1番艦が
取舵を切ります!!

なに

続いて
ソ連2番艦
左舷30°面舵!!

左右に
大きく展開
します!!

沼田司令！
ソ連艦隊は
わが艦隊との
衝突を回避
したんでは
いや！

こいつは
近距離攻撃を
嫌っての
攻撃態勢だ!!

ソナー　探信音波を
打ち続けろ
「やまと」が
浮上してくるぞ

ハッ!!

ピ

感あり!
方位0―0―2
距離3000!

潜水艦こちらに
浮上中
「やまと」と
思われます!
深度 約
750メートル

ソ連艦隊に
警告を
与える!!
ハッ!!

思った通り
度胸満点の
艦だな

ザンッ
自衛艦隊より
ソ連艦船へ！
友好国「やまと」に
対する攻撃を
中止せよ

中止せぬ場合
わが艦隊も
貴国の攻撃を
全力で阻止する
！
あと数分で……
日本の〃戦後〃が
終わる！

くり返す！
友好国
「やまと」に
対する攻撃を
中止せよ!!

中止せぬ
場合
わが艦も全力で
阻止する！

コオオーン

ソ連艦から発射される
対潜ミサイルは
こっちの前方2000
あたりに集中して
射ち込まれると思います

ですが司令
ソ連艦隊に対する
発砲及び攻撃は
命令を受けて
おりません

われわれが
受けた命令は
「やまと」を
守れ……だ
ミサイルは
全基
撃ち落とす!

全艦に連絡
使用火器は
76ミリ速射砲並びに
20ミリバルカン砲

いいか 1基でも
撃ちもらしたら
「やまと」が被弾!!
洋上の2列艦隊の
こっちまで
ぶっ飛ぶぞ!!
ハッ

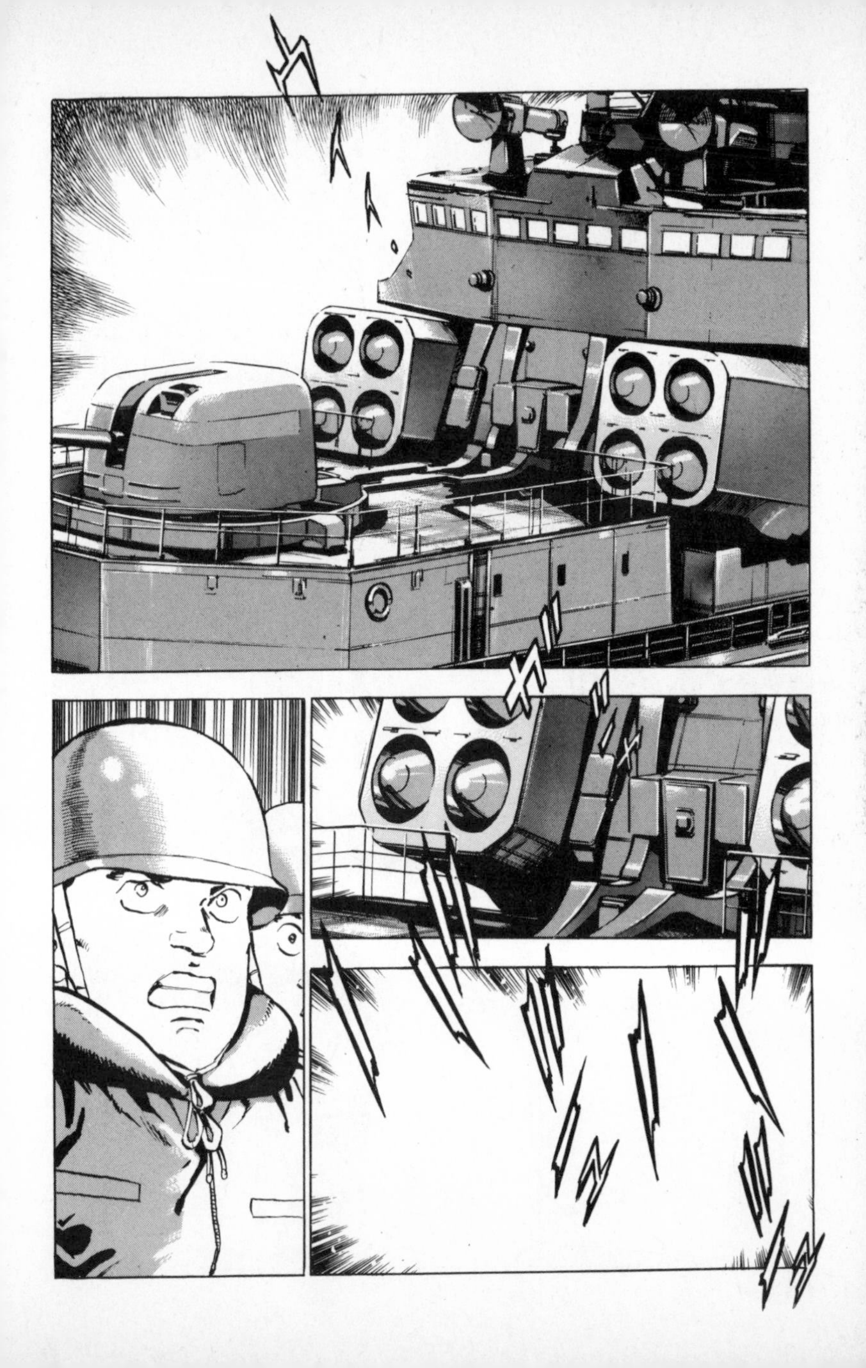

ソ連艦より
対潜ミサイル
方位0―2―8
距離2800

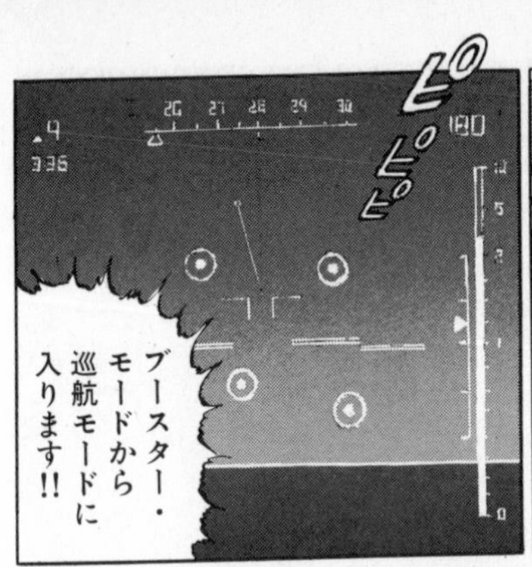
ピッピッピッピ
ブースター・
モードから
巡航モードに
入ります!!

ゴヒャア
アアア

ウ
子供の使いじゃ
ないことを
教えてやる!!

ガシャ
1基残らず
撃ち落とせ!

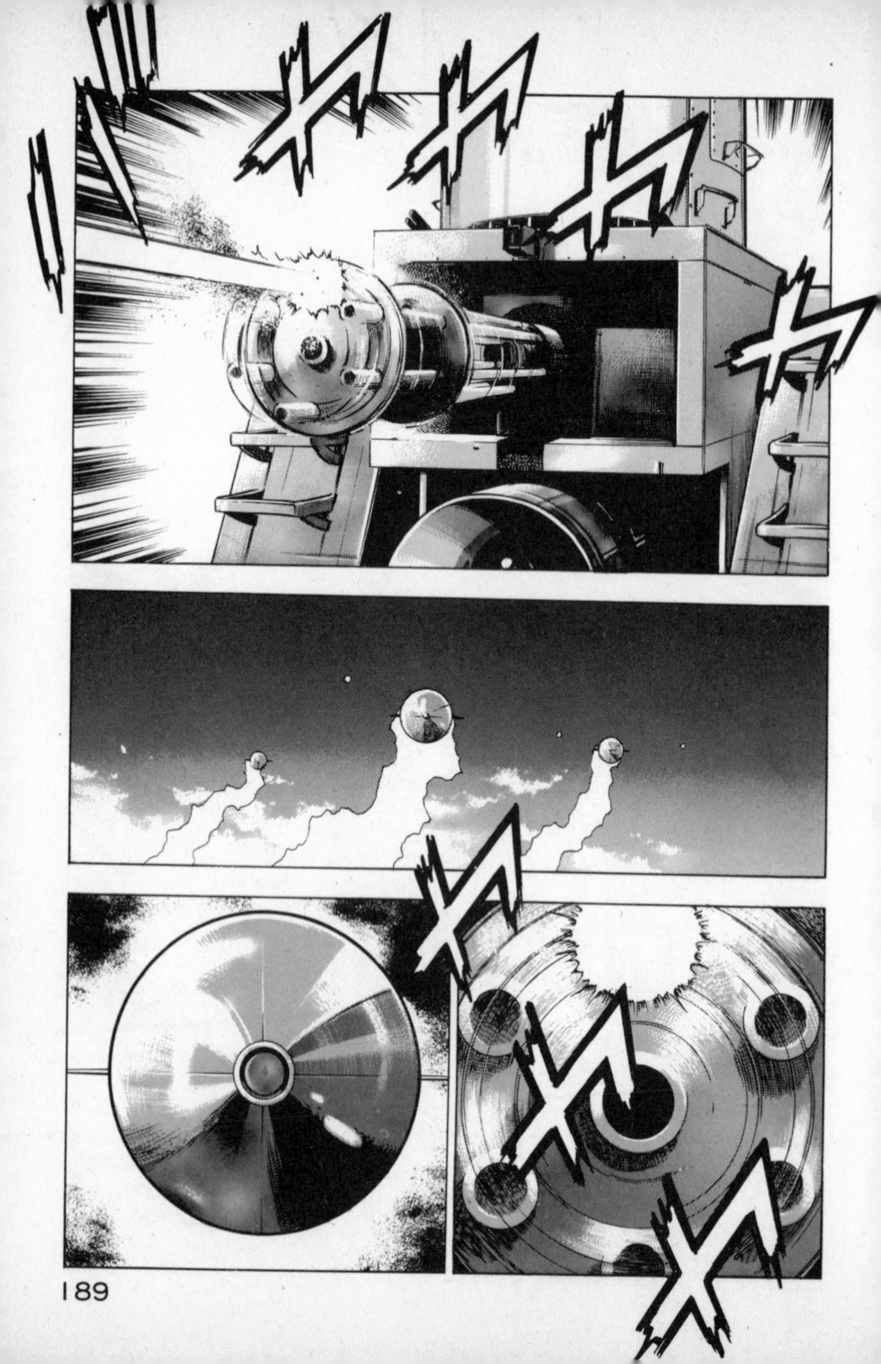

02

曽根崎長官!!

ソ連艦隊が対潜ミサイルを射ちました!
なに!

わが護衛艦隊はミサイルを撃ち落とすべく現在応射中!!
赤垣幕僚長(ばくりょうちょう)!

天津くん どうやら最悪の事態に突入したようだ
幕僚長「シーバット」いえ 乗員76名の「やまと」はもうひとつの日本です

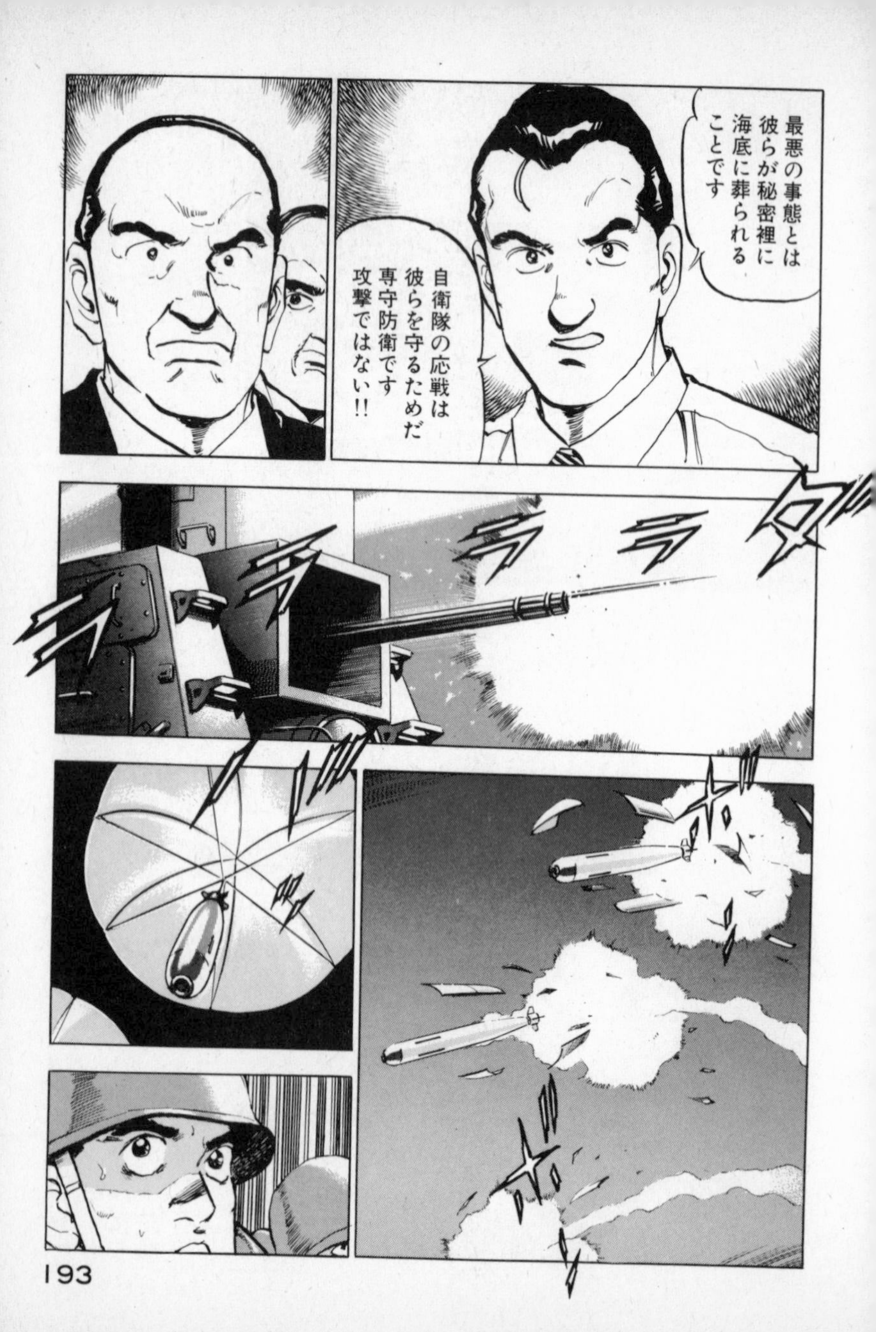
最悪の事態とは
彼らが秘密裡に
海底に葬られる
ことです
自衛隊の応戦は
彼らを守るためだ
専守防衛です
攻撃ではない!!

左舷50°
距離1200
2基着水!!

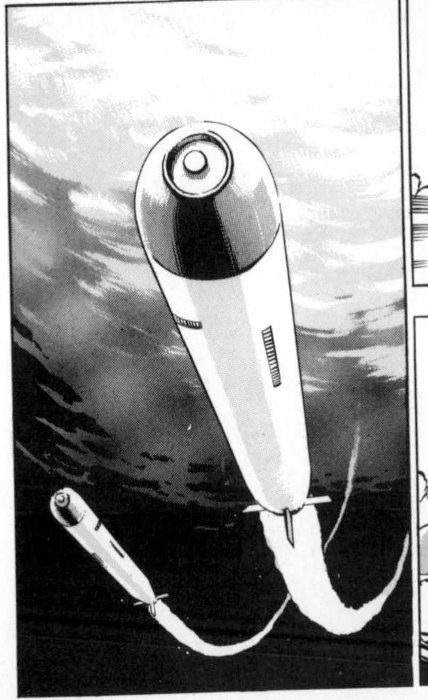

しまった!!

ピィー

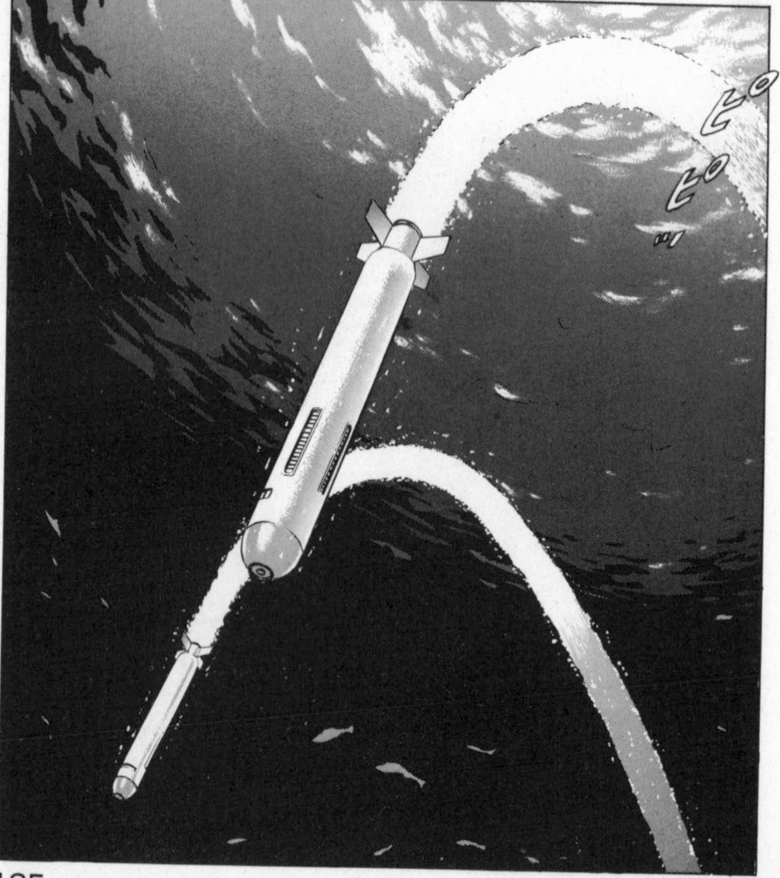
ピピ!

……!!

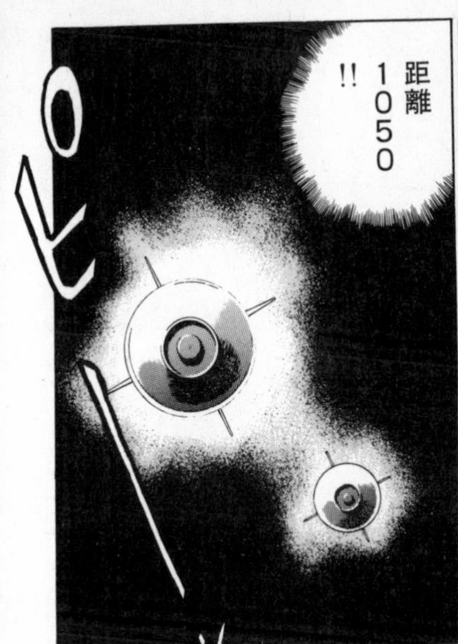
距離1050!!
ヒュ

方位0―2―8
スクリュー音2つ
魚雷です!

いよいよ
第2次独立戦争の
火ぶたを切るぞ

VOYAGE 43 火ぶた/END

この魚雷攻撃は わが国に対する ソ連の 明瞭なる 侵犯と見なす！
1番おとり魚雷 2番から8番 マーク47魚雷 装塡!!
ハッ！
洋上ソ連艦艇の 動きを 完全に 捕捉せよ！
2分後 エンジン ストップ デコイ発射！
敵魚雷との角度 最小0―0―0 にとれ！ 浮上角度最大！
浮上角度 最大 よし
魚雷距離900で 音響探信モード に入りました！
探信音 来ます！ 距離850!!

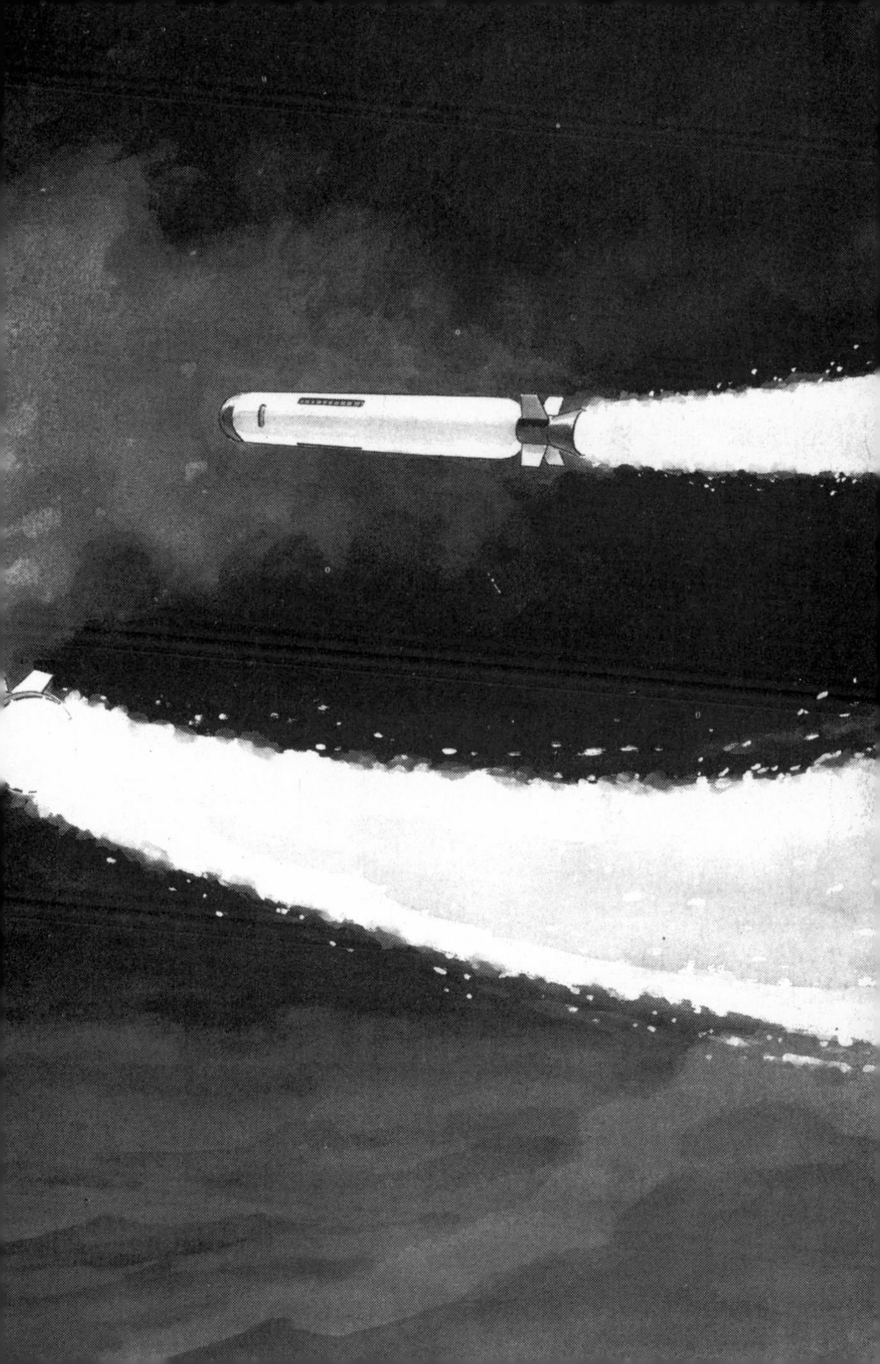

VOYAGE 44 もうひとつの「シーバット」

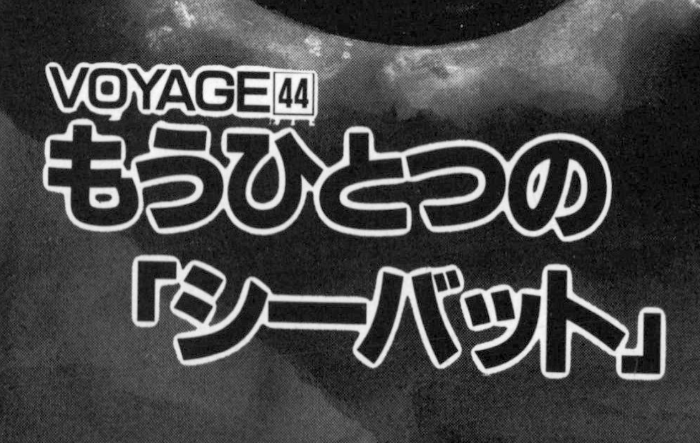

魚雷走航音
速度を上げて
「やまと」に
接近中
「やまと」
なおも浮上します
わが艦隊正面
距離3200!

司令
このままでは
艦隊真下
深度400で
被弾します!!

……!

「やまと」なぜ魚雷を回避しない……!?
魚雷をかわすにはもう一度 深深度に潜るしかないぞ

8番艦「くらま」より報告
左舷90° 距離3500に迫っている米艦隊が減速 止まります

は
なんでノコノコバカ正直に正面から浮上する……?

自衛艦が洋上にいる限り
米ソ両艦隊の攻撃はないと判断したのか!?

53―VA魚雷
ホーミング
航走中！
ソ連巡洋艦
「フルンゼ」

魚雷命中まで
あと5分!!

米第3艦隊空母
「ミッドウエー」
ランシング
司令　全艦
停船しました

自衛艦隊は
コースを変えま
せん　「やまと」に
突入します

なんという
愚かな艦長だ
カミカゼ戦法しか
知らんのか
ジャップ好みの
忠義心とやらで
「やまと」と
一緒にぶっ飛ぶ
つもりか!

沼田司令!
魚雷命中まで
250秒!!
防衛戦争の
定義ですか?
敵による
侵略攻撃があって
初めて成立する
戦闘であります

甘いぞ
海江田!
奇襲を受ければ
先制の一撃で
反撃の機会すらなく
全滅するのだ!

目の前に迫った
魚雷の面を拝んで
その甘さに気がついても
助からん!!

それを
心得ておけば
よろしい……！

後進転舵は
間に合わん
このまま全速で
突っ切れ！

全艦
両舷全速!!
針路このまま！

ハッ
両舷全速!!

全艦両舷全速
針路このまま!!

「はるな」より
連絡　両舷全速！
エンジンを焼き
ペラの折れる程だ

「やまと」の被弾から
わが艦隊を守るには
これしかない!!

ギャーーン
全艦
両舷全速
このまま
突っ切れ!!
カッシャ
カッシャ
カッシャ
ドドド
ドドド
「やまと」
との
距離
200
!

142

ド
ドドドドドドドド

来るぞ
全員衝撃に耐えろ!
「やまと」本艦真下通過中!深度400!
もっとスピードを上げろ!走れっ!

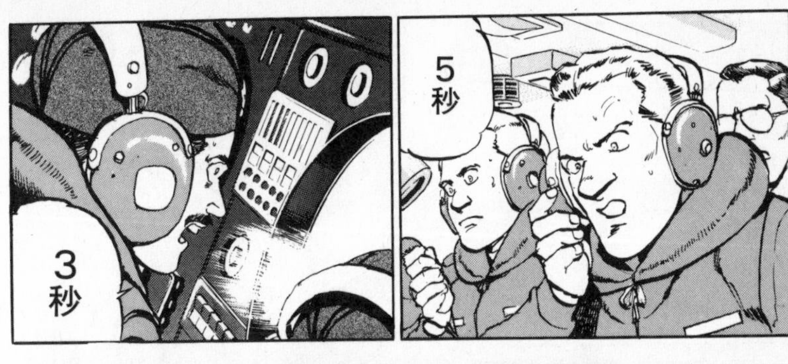
5秒
3秒

02

ウオ
ザアア
ドオッ

こちら8番艦「くらま」本艦の右舷50°距離300で爆発！
艦体破壊音はあったか
聞きとれません！
艦体破壊を確認せよ！

こちら司令
艦隊に損害はあるか!?

8番艦「くらま」右舷損傷!!
骨折者5〜6名出た模様

おお!

ソ連艦の
放った魚雷が
命中しました!

「やまと」の
艦体破壊は
確認されたのか

いえ
確認を急いで
おります

自衛艦隊に
被害は……!?

8番艦「くらま」が
わずかに損傷
幸い　航行は
可能のようです

海江田……
なぜ浮上して
きたんだ……!!

こちら
アンドロポフ
「やまと」の
艦体破壊の
確認急げ!!
各駆逐艦は
現場に
急行せよ!!
688

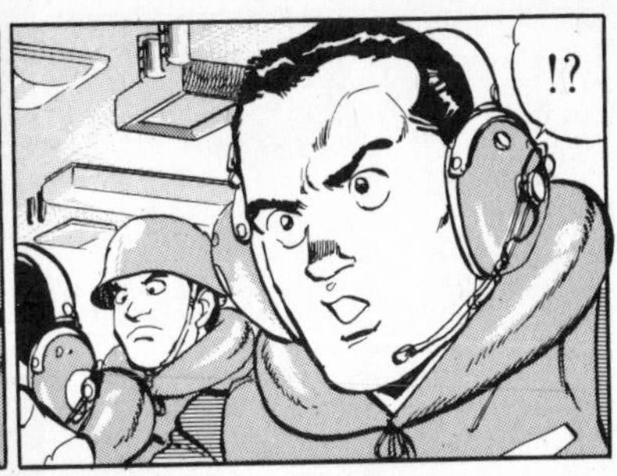
!?

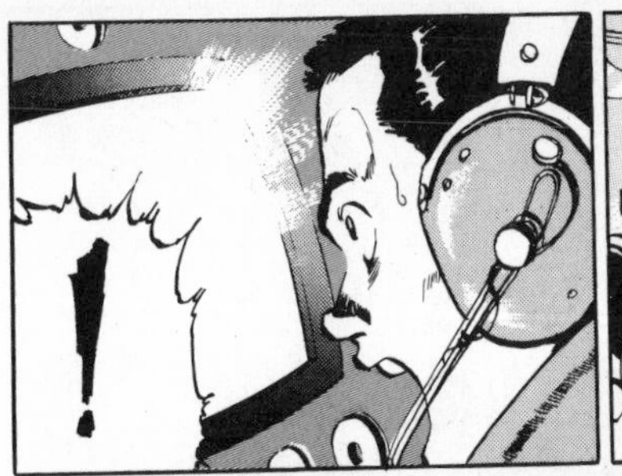
!

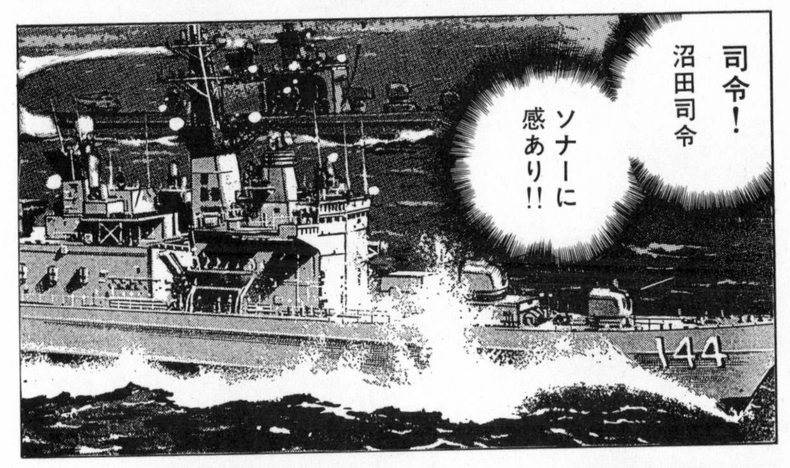
司令！沼田司令
ソナーに感あり!!

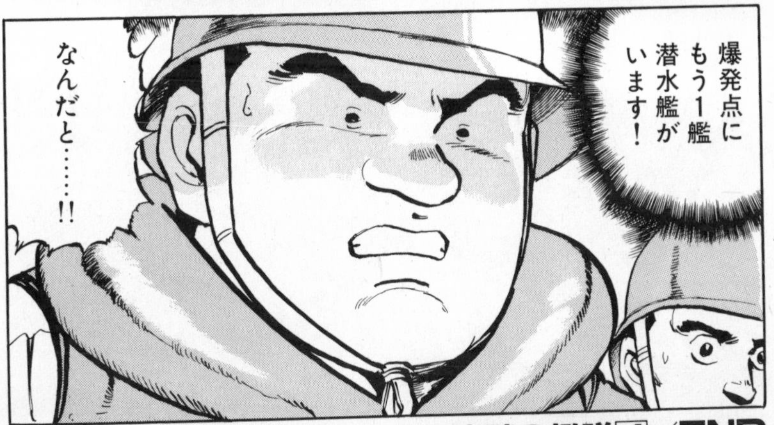
爆発点にもう1艦潜水艦がいます！
なんだと……!!

沈黙の艦隊4／END

「沈黙の艦隊」第4巻は、'89年のモーニング29号より37号、39号、および40号に掲載された作品です。
編集部では、この作品に対する皆様の御意見・御感想をお待ちしております。
また、今後「モーニングKC」にまとめてほしい作品がありましたら編集部までお知らせ下さい。

東京都文京区音羽二丁目十二番二十一号
〈郵便番号一一二―〇一〉
「講談社モーニング」編集部
モーニングKC係

参考資料／「世界の艦船」(海人社),「シーパワー」(㈱シーパワー),「丸」(潮書房),「日本の防衛戦力②海上自衛隊」(読売新聞社),「ソ連海軍事典」(原書房, Courtesy of U.S. Naval Institute's Guide to the Soviet Navy, 4th edition),「海上自衛隊」(防衛庁)
資料協力／柴田三雄, Y.カウフマン, S.カウフマン

モーニングKC―211
沈黙の艦隊 ④
一九九〇年 六月二十三日 第一刷発行
一九九二年 五月 十五日 第七刷発行
(定価はカバーに表示してあります)

著者 かわぐちかいじ
発行者 山野 勝
発行所 株式会社講談社
東京都文京区音羽二―一二―二一
郵便番号 一一二―〇一
電話 編集部 東京(〇三)三九四五―九一五五
販売部 東京(〇三)五三九五―三六〇八

講談社

印刷所 大日本印刷株式会社
製本所 誠和製本株式会社

ISBN4-06-102711-5 (モ)　　Printed in Japan

かわぐちかいじ

定価各500円(税込)

発行／講談社

独立国『やまと』を宣言した原潜『シーバット』は沖縄沖に出現！　ソ連最強の原潜『レッド・スコーピオン』を壮絶な戦闘の末に破った。そして『やまと』は米・ソ両超大国の追撃を受けることになる。『やまと』を包囲した米・ソ太平洋艦隊に対し，日本は護衛艦隊の出動を決定。『やまと』をめぐって日・米・ソ３国が一触即発の状態に入った。

大望を胸に秘めた

単行本1〜13巻
絶賛発売中!!

C0-ABG-095